OS HOMENS EXPLICAM TUDO PARA MIM

OS HOMENS EXPLICAM TUDO PARA MIM

Rebecca Solnit

Imagens
Ana Teresa Fernandez

Tradução
Isa Mara Lando

Editora Cultrix
SÃO PAULO

Título do original: *Men Explain Things to Me.*
Copyright © 2014 Rebecca Solnit.
Imagens internas © Ana Teresa Fernandez.
Design da capa © Gabriel Saiz.
Copyright da edição brasileira © 2017 Editora Pensamento-Cultrix Ltda.
1ª edição 2017.
7ª reimpressão 2021.
Todos os direitos reservados. Nenhuma parte desta obra pode ser reproduzida ou usada de qualquer forma ou por qualquer meio, eletrônico ou mecânico, inclusive fotocópias, gravações ou sistema de armazenamento em banco de dados, sem permissão por escrito, exceto nos casos de trechos curtos citados em resenhas críticas ou artigos de revistas.

A Editora Cultrix não se responsabiliza por eventuais mudanças ocorridas nos endereços convencionais ou eletrônicos citados neste livro.

Editor: Adilson Silva Ramachandra
Editora de texto: Denise de Carvalho Rocha
Gerente editorial: Roseli de S. Ferraz
Preparação de originais: Carolina de Assis
Produção editorial: Indiara Faria Kayo
Editoração eletrônica: Join Bureau
Revisão: Vivian Miwa Matsushita

Dados Internacionais de Catalogação na Publicação (CIP)
(Câmara Brasileira do Livro, SP, Brasil)

Solnit, Rebecca
   Os homens explicam tudo para mim / Rebecca Solnit; imagens Ana Teresa Fernandez; tradução Isa Mara Lando. – São Paulo: Cultrix, 2017.

   Título original: Men explain things to me.
   ISBN: 978-85-316-1416-3

   1. Diferenças sexuais (Psicologia) 2. Feminismo 3. Violência contra mulheres I. Fernandez, Ana Teresa. II. Lando, Isa Mara. III. Título.

17-05644   CDD-305.42

Índices para catálogo sistemático:
1. Mulheres: Condições sociais: Sociologia 305.42

Direitos de tradução para a língua portuguesa adquiridos com exclusividade pela
EDITORA PENSAMENTO-CULTRIX LTDA., que se reserva a
propriedade literária desta tradução.
Rua Dr. Mário Vicente, 368 — 04270-000 — São Paulo, SP
Fone: (11) 2066-9000
http://www.editoracultrix.com.br
E-mail: atendimento@editoracultrix.com.br
Foi feito o depósito legal.

Para as avós, para as que fazem o mundo andar para a frente, para as sonhadoras, para os homens que compreendem, para as jovens que continuam na luta, para as mais velhas que abriram caminho, para as conversas que nunca terminam, e para um mundo que vai permitir a Ella Nachimovitz (nascida em janeiro de 2014) desabrochar até o máximo das suas possibilidades.

SUMÁRIO

Os homens explicam tudo para mim 11

A guerra mais longa 31

Dois mundos colidem numa suíte de luxo:
algumas reflexões sobre o FMI, a injustiça global
e um estranho num trem.. 57

Elogio à ameaça: o que significa, de fato,
"casamento igualitário".. 77

Avó Aranha 87

A escuridão de Virginia Woolf:
Aceitando o inexplicável 105

A síndrome de Cassandra 133

#SimTodasAsMulheres:
As feministas reescrevem a história 155

A caixa de Pandora e a polícia voluntária 177

Créditos das imagens 197

Agradecimentos 199

Cronologia dos artigos 203

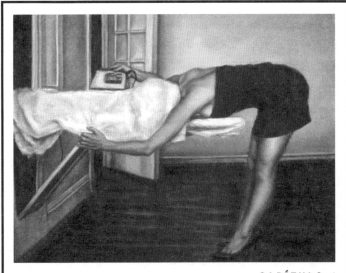

CAPÍTULO 1

Os homens explicam tudo para mim

té agora não sei por que Sallie e eu nos demos ao trabalho de ir àquela festa, numa encosta arborizada logo acima de Aspen. As pessoas eram todas mais velhas que nós, parecendo muito chatas e distintas, e tão velhas que Sallie e eu, duas quarentonas, éramos as mocinhas da festa. A casa era bacana, para quem gosta de chalés estilo Ralph Lauren. Um chalé de madeira rústico-luxo, a 2.700 metros de altitude, com tudo que tem direito – chifres de alces nas paredes, muitos tapetes de tear jogados pelo chão, fogão a lenha. Já estávamos nos preparando para ir embora quando o dono da casa disse: "Não, fiquem um pouco mais! Quero conversar com vocês". Era um homem imponente que já havia ganhado muito dinheiro.

Ficamos esperando enquanto os outros convidados iam se dispersando lá fora, para desfrutar da noite de verão. Por fim ele nos convidou a sentar na sua mesa de madeira autêntica, cheia de veios. Daí me perguntou: "Então! Ouvi dizer que você já escreveu dois livros?"

Respondi, "Sim, escrevi vários, na verdade".

Ele então falou, daquela maneira como a gente incentiva o filho de 7 anos da amiga a contar como é sua aula de flauta: "Ah! E eles são sobre o quê?"

Na verdade, eram sobre coisas muito diversas, os seis ou sete publicados até então, mas comecei a falar apenas do mais recente, naquele dia de verão de 2003: *River of Shadows: Eadweard Muybridge and the Technological Wild West* [Rio das Sombras: Eadweard Muybridge e o Faroeste Tecnológico], meu livro sobre a aniquilação do tempo e do espaço e a industrialização da vida cotidiana.

Ele me cortou assim que mencionei Muybridge.

"E você já ouviu falar daquele livro *muito importante* sobre Muybridge que saiu este ano?"

Tão mergulhada estava eu no papel de *ingénue* que me fora atribuído que me senti perfeitamente disposta a aceitar a possibilidade de que outro livro sobre o mesmo assunto tivesse sido publicado ao mesmo tempo que o meu, sem eu me dar conta. Ele já estava me contando sobre aquele livro superimportante – com aquele olhar presunçoso que eu conheço tão bem nos homens quando começam a falar e falar, com os olhos fixos no horizonte nebuloso e distante da sua própria autoridade.

Quero dizer agora mesmo que minha vida está bem salpicada de homens adoráveis, com uma longa lista de editores que, desde que eu era bem jovem, me ouviram, me incentivaram e me publicaram; com meu irmão mais novo, infinitamente generoso; com amigos esplêndidos de quem se pode dizer, como aquele personagem dos *Contos de Canterbury*, que ainda lembro da aula do professor Pelen sobre Chaucer, que "de bom grado aprendia e de bom grado ensinava". Mesmo assim, existem também outros homens, homens daquele tipo. Bem, então o Sr. Muito Importante continuava falando, todo satisfeito, sobre aquele livro que eu *tinha* que conhecer, quando Sallie o interrompeu, dizendo: "Esse é o livro dela". Ou melhor, tentou interromper.

Mas ele continuava firme. Ela teve que dizer "Esse é o livro dela!" três ou quatro vezes até ele finalmente captar a coisa. E então, como num romance do século XIX, seu rosto perdeu a cor, ficou cinzento. O fato de que eu era, realmente, a autora daquele livro tão importante – que no fim das contas ele nem tinha lido, mas apenas lido a respeito no *New York Times Book Review* alguns meses antes – colocou em total confusão as categorias bem divididas e bem classificadas do seu mundo. O homem ficou atordoado, mudo. Isto é, por alguns instantes –, até começar a falar sem parar outra vez. Como somos mulheres, nós duas esperamos educadamente até estarmos longe dos ouvidos dele, e só então começamos a rir. E não paramos até agora.

Eu gosto de incidentes desse tipo, quando forças que normalmente são tão sorrateiras e difíceis de identificar deslizam para fora da vegetação e ficam tão óbvias como, digamos, uma jiboia que acaba de engolir uma vaca, ou um cocô de elefante no meio do tapete.

OS SILÊNCIOS QUE VÃO ROLANDO LADEIRA ABAIXO

Sim, é verdade que pessoas de ambos os sexos aparecem em eventos para conversar sobre coisas irrelevantes e teorias conspiratórias, mas esse tipo de confrontação, com a confiança total e absoluta dos totalmente ignorantes é, pela minha experiência, típica de um dos gêneros. Os homens explicam coisas para mim, e para outras mulheres, quer saibam ou não do que estão falando. Alguns homens. Toda mulher sabe do que eu estou falando. São as ideias preconcebidas que tantas vezes dificultam as coisas para qualquer mulher em qualquer área; que impedem as mulheres de falar, e de serem ouvidas quando ousam falar; que esmagam as mulheres jovens e as reduzem ao silêncio, indicando, tal como ocorre com o assédio nas ruas, que esse mundo não pertence a elas. É algo que nos deixa bem treinadas em duvidar de nós mesmas e a limitar nossas próprias possibilidades – assim como treina os homens a ter essa atitude de autoconfiança total sem nenhuma base na realidade.

Não me surpreenderia saber que a trajetória da política norte-americana desde 2001 foi definida, em parte, pela incapacidade de dar atenção a Coleen Rowley – a mulher do FBI que havia muito tempo lançava alertas sobre a Al-Qaeda –, e com certeza foi definida por um governo Bush ao qual não se podia dizer nada – como, por exemplo, que o Iraque não tinha ligações com a Al-Qaeda nem armas de destruição em massa, ou que a guerra não seria "brincadeira de criança". (Nem os especialistas homens conseguiram penetrar nessa fortaleza de presunção.)

A arrogância pode ter tido algo a ver com a guerra, mas essa síndrome é uma guerra que as mulheres enfrentam praticamente todos os dias, e também uma guerra dentro de si mesmas – essa convicção de que são supérfluas, esse convite ao silêncio. Uma síndrome da qual não me libertei por completo, apesar de uma boa carreira como escritora (incluindo muita pesquisa e fatos apresentados corretamente). Afinal, houve um momento em que eu estava disposta a deixar que o Sr. Muito Importante e a sua autoconfiança esmagadora atropelassem minhas frágeis certezas.

Não se esqueça de que já tive na minha vida muito mais confirmações do meu direito de pensar e falar do que a maioria das mulheres, e aprendi que duvidar de si mesmo, em certa dose, é uma boa ferramenta para alguém se corrigir, compreender e progredir – embora duvidar de si mesmo, em excesso, seja paralisante e a autoconfiança total produza idiotas arrogantes. Há um meio-termo feliz entre esses dois extremos para os quais os dois gêneros foram empurrados, um cinturão equatorial caloroso onde cada um cede um pouco, aceita um pouco, e onde todos nós deveríamos nos encontrar.

Versões mais extremas da nossa situação existem, por exemplo, nos países do Oriente Médio onde a palavra da mulher não tem valor legal: uma mulher não pode afirmar em juízo que foi estuprada sem apresentar um homem como testemunha para contradizer a palavra do estuprador. E esse homem raramente aparece para testemunhar.

A credibilidade é uma ferramenta básica de sobrevivência. Quando eu era muito jovem e estava apenas começando a entender o que é o feminismo e por que ele é necessário, tive um namorado cujo tio era físico nuclear. Certo dia, no Natal, ele começou a contar – como se fosse um assunto leve e divertido – que a esposa de um vizinho de bairro – que, aliás, vive em função de uma fábrica de bombas – saiu correndo de casa nua, no meio da noite, gritando que o marido estava tentando matá-la. E como, perguntei eu, o senhor sabia que ele *não* estava tentando matá-la? Ele explicou, pacientemente, que eram pessoas respeitáveis de classe média; sendo assim, o fato de que o marido havia tentado matá-la simplesmente não servia como explicação válida para o fato de que ela fugiu de casa gritando que o marido estava tentando matá-la. Por outro lado, a hipótese de que ela era louca...

Mesmo para se conseguir uma ordem judicial de afastamento – uma ferramenta legal bastante nova – é exigida credibilidade para convencer os tribunais de que certo homem é uma ameaça e então conseguir que a polícia imponha essa ordem. E de qualquer maneira, muitas vezes a ordem de afastamento não funciona. A violência é uma maneira de silenciar as pessoas, de negar-lhes a voz e a credibilidade, de afirmar que o direito de alguém de controlar vale mais do que o direito delas de existir, de viver. Nos Estados Unidos, cerca de três mulheres são assassinadas *todos os dias* pelo cônjuge ou ex-cônjuge. É uma das principais causas de morte de mulheres grávidas no país. No cerne da luta do feminismo para dar *status* legal de crime ao estupro, estupro no namoro, estupro marital, violência doméstica e assédio sexual no trabalho existe a necessidade básica de dar voz e credibilidade às mulheres.

Penso que as mulheres adquiriram o *status* de seres humanos quando os atos desse tipo começaram a ser levados a sério, quando as grandes coisas que impedem nosso avanço e que nos matam foram enfrentadas legalmente, a partir de meados dos anos 1970 – isto é, bem depois do meu nascimento. E para qualquer um prestes a argumentar que a intimidação sexual no local de trabalho não é uma questão de vida ou morte, lembre-se de que Maria Lauterbach, cabo dos Fuzileiros Navais, de 20 anos, aparentemente foi assassinada por um colega de escalão mais alto, certa noite de inverno, enquanto esperava para testemunhar que ele a havia estuprado. Os restos mortais queimados da jovem grávida foram encontrados num buraco no quintal do assassino.

Quando um homem diz para uma mulher, categoricamente, que ele sabe do que está falando e ela não, mesmo que isso seja uma parte mínima de uma conversa, perpetua a feiura deste mundo e tira dele a sua luz. Depois que meu livro *Wanderlust* [Sede de Viajar] foi publicado em 2000, eu me senti mais capaz de resistir a intimidações desse tipo – a ser intimidada a ponto de abandonar minhas próprias conclusões e interpretações. Naquela época, em duas ocasiões fiz objeções ao comportamento de um homem, sendo então informada que os incidentes não haviam acontecido tal como eu relatei, de modo algum, que eu estava sendo subjetiva, delirante, exagerada, desonesta – em suma, sendo mulher. Durante a maior parte da minha vida eu teria duvidado de mim mesma e dado um passo atrás. Ter um *status* público como historiadora me ajudou a me manter firme nas minhas posições; mas poucas mulheres podem se valer de um estímulo assim, e deve haver bilhões de mulheres por aí, neste planeta de 7 bilhões de pessoas, sendo informadas de que não são testemunhas confiáveis das suas próprias vidas, que a verdade não é propriedade delas, nem agora, nem nunca. Isso vai muito além de Os Homens Explicam Tudo para Mim, mas faz parte do mesmo arquipélago de arrogância.

Os homens continuam explicando tudo para mim. E nenhum homem jamais se desculpou por querer me explicar, erroneamente, coisas que eu sei e ele não sabe. Até agora ninguém se desculpou, mas de acordo com as tabelas do seguro de vida, ainda posso ter mais uns quarenta anos pela frente, mais ou menos, então isso ainda pode acontecer. Mas acho melhor esperar sentada.

MULHERES LUTANDO EM DUAS FRENTES

Poucos anos depois daquele idiota de Aspen, eu estava em Berlim dando uma palestra quando o escritor marxista Tariq Ali me convidou para um jantar que incluía um escritor e tradutor e três mulheres um pouco mais jovens que eu, que ficaram numa atitude de deferência, quase sem falar, durante todo o jantar. Tariq foi ótimo. Talvez o tradutor tenha se irritado porque eu insistia em assumir um papel modesto na conversa; até que eu disse que o Women Strike for Peace [Mulheres em Greve pela Paz], um grupo antinuclear e antiguerra, extraordinário embora pouco conhecido, fundado em 1961, tinha ajudado a derrubar o HUAC*, o Comitê de Atividades Antiamericanas, responsável pela caça aos comunistas da era do macartismo. Com isso, o Sr. Muito Importante Número 2 começou a zombar de mim. O HUAC, insistiu ele, não existia no início dos anos 1960 e, de todo modo, nenhum grupo de mulheres desempenhou um papel assim na queda do HUAC. Seu escárnio fazia murchar as plantas, sua autoconfiança era tão agressiva que argumentar com ele me pareceu totalmente fútil e assustador, um convite para mais insultos.

---

* Do inglês House Un-American Activities Committee (N.T.)

Creio que eu estava em meu nono livro naquele ponto, um deles baseado em arquivos do Women Strike for Peace e entrevistas com uma das líderes do grupo. Mas os homens que explicam tudo para mim continuam presumindo que eu sou, numa espécie de metáfora uterina obscena, um recipiente vazio pronto para ser preenchido com a sabedoria e o conhecimento deles. Um freudiano diria saber o que é que eles têm e eu não tenho; mas a inteligência não se localiza no meio das pernas – mesmo que você consiga escrever uma das longas e melífluas sentenças musicais de Virginia Woolf sobre a sutil subjugação das mulheres, traçando as palavras na neve com o seu "piupiu". De volta ao meu quarto de hotel, pesquisei na internet e descobri que Eric Bentley, em seu livro sobre o HUAC, dá crédito ao Women Strike for Peace por "dar o golpe crucial na Queda da Bastilha do HUAC". Isso no início dos anos 1960.

Assim, abri um ensaio (sobre Jane Jacobs, Betty Friedan e Rachel Carson) para a revista *The Nation* narrando aquele diálogo, e também como um recado para um dos homens mais desagradáveis que já tentaram me explicar tudo: Cara, se você está lendo isto, saiba que você é uma espinha inflamada no rosto da humanidade e um obstáculo à civilização. Sinta vergonha.

A batalha contra os Homens que Explicam Tudo para Mim já espezinhou muitas mulheres – da minha geração e da nova geração que vem vindo, da qual tanto precisamos, seja em meu país, no Paquistão, na Bolívia ou em Java, para não falar das incontáveis mulheres que vieram antes de mim e não tinham permissão de entrar no laboratório, ou na biblioteca, ou na conversa, ou na revolução, ou mesmo na categoria chamada humana.

Afinal, o Women Strike for Peace foi fundado por mulheres que estavam cansadas de fazer café e datilografar e não ter nenhuma voz ativa ou papel decisório no movimento antinuclear dos anos 1950. A maioria das mulheres luta em duas frentes – uma pelo tópico em questão, qualquer que seja, e outra simplesmente pelo direito de falar, de ter ideias, de ser reconhecida como alguém que está de posse de fatos e de verdades, que tem valor, que é um ser humano. As coisas melhoraram, mas essa guerra não vai terminar durante o meu tempo de vida. Eu continuo lutando – por mim mesma, sim, mas também pelas mulheres mais jovens, na esperança de que consigam, de fato, dizer o que elas têm a dizer.

PÓS-ESCRITO

Certa vez num jantar, em março de 2008, comecei a falar, de brincadeira, como já tinha feito muitas vezes, que um dia iria escrever um ensaio chamado "Os Homens Explicam Tudo para Mim". Todo escritor tem um estábulo cheio de ideias que nunca chegam à pista de corrida, e eu já vinha fazendo esse pônei trotar um pouquinho de vez em quando, por recreação. Minha convidada, a brilhante teórica e ativista Marina Sitrin, insistiu que eu tinha que escrever esse ensaio porque pessoas como sua irmã mais nova, Sam, precisavam lê-lo. As mulheres jovens, disse ela, precisam saber que ser tratada como algo inferior não é resultado das suas próprias falhas secretas; é a velha e chata guerra dos sexos, e acontece com a maioria de nós que somos mulheres, em algum momento da vida.

Escrevi o ensaio de uma só sentada, na manhã seguinte. Quando algo se arma e se ergue tão depressa, fica bem claro que estava sendo composto havia muito tempo, em algum lugar incognoscível no fundo da mente. O ensaio queria ser escrito; estava irrequieto, ansioso para correr na pista; começou a galopar assim que me sentei ao computador. Como naquela época Marina dormia mais tempo do que eu, lhe servi o ensaio no café da manhã. No mesmo dia o enviei para Tom Engelhardt, do blog TomDispatch, que o publicou on-line logo depois. O ensaio se espalhou rapidamente, como costuma acontecer com as matérias no site de Tom, e nunca mais parou de circular, ser postado, repostado, compartilhado e comentado. Circulou mais do que todos os outros textos que escrevi. Tocou numa corda sensível. E tocou num nervo. Alguns homens informaram que o fato de que os homens explicam tudo às mulheres não é, na realidade, um fenômeno de gênero. Em geral, as mulheres então observavam que os homens, ao insistir no direito de rejeitar as experiências que as mulheres alegam ter, estão explicando as coisas, exatamente como eu disse. (E para que fique registrado aqui: acredito que algumas mulheres já explicaram coisas de forma paternalista para outras pessoas, inclusive para os homens. Mas isso não é indicativo do enorme diferencial de poder, que assume formas muito mais sinistras, tampouco dos padrões mais gerais da divisão entre os sexos na nossa sociedade.)

Outros homens captaram a ideia e tiveram uma atitude legal. Afinal, o ensaio foi escrito numa época em que homens feministas haviam se tornado uma presença mais significativa, e o feminismo estava mais divertido do que nunca. Só que nem todos os homens percebiam a graça. Em 2008, recebi um e-mail no blog TomDispatch de um homem mais velho de Indianápolis, que escreveu para me dizer que "jamais havia ludibriado, pessoal ou profissionalmente, uma mulher" e passou então a me criticar por eu não sair com "caras mais normais, ou pelo menos fazer primeiro um pouco de pesquisa, uma lição de casa". Passou então a me dar conselhos sobre como administrar minha vida e comentou sobre meus "sentimentos de inferioridade". A seu ver, ser tratada com condescendência é uma experiência que uma mulher pode optar por ter ou não ter – e, portanto, a culpa era toda minha.

Surgiu um site chamado Academic Men Explain Things to Me [Os Homens Acadêmicos Explicam Tudo para Mim], e centenas de mulheres que trabalham em universidades contaram suas histórias, descrevendo como foram tratadas com paternalismo, depreciadas, interrompidas, e muito mais. O termo "mansplaining"* foi cunhado logo após a publicação do ensaio e recebi o crédito por ser a inventora. Na verdade, não tive nada a ver com a criação da palavra, embora ela tenha sido inspirada, aparentemente, pelo meu ensaio, e por todos os homens que personificaram a ideia central. (Tenho dúvidas sobre essa palavra e não a uso muito; parece-me um pouco pesada na ideia de que os homens têm essa falha inerente, quando, na verdade, o fato é que *alguns* homens explicam coisas que não deveriam explicar, e não ouvem coisas que deveriam ouvir. Se isso não ficou bem claro no ensaio, eu adoro quando as pessoas me explicam coisas que elas sabem e que me interessam, e que eu ainda não sei;

---

* "Mansplaining" [explicação masculina], brincando com as palavras "man" e "explaining". (N.T.)

é quando elas começam a me explicar coisas que eu sei e elas não sabem que a conversa vai mal.) Em 2012, o termo "mansplained" – escolhido pelo *The New York Times* como uma das palavras do ano de 2010 – estava sendo usado na grande mídia de jornalismo político.

Infelizmente, isso aconteceu porque a palavra se adequava perfeitamente à época. Em agosto de 2012 o blog TomDispatch postou mais uma vez "Os Homens Explicam Tudo para Mim" e, por coincidência, mais ou menos na mesma época o deputado Todd Akin (republicano do estado de Missouri) fez sua infame declaração que mulheres estupradas não precisam de acesso ao aborto porque "Se for um estupro legítimo, o corpo da mulher dá um jeito de acabar com tudo". Aquela temporada eleitoral teve boas doses de declarações insanas pró-estupro e antifatos, vindas de homens conservadores. E uma boa dose de declarações feministas mostrando por que o feminismo é necessário e por que esses caras nos dão medo. Foi bom ser uma das vozes dessa conversa; o ensaio teve uma vigorosa segunda vida.

Tocando nas cordas mais profundas, tocando nos nervos: a coisa continua circulando, enquanto escrevo estas linhas. O ponto principal do ensaio nunca foi sugerir que eu me julgo especialmente oprimida e sim tomar essas conversas como a extremidade mais estreita da cunha que abre espaço para os homens e fecha o espaço para as mulheres – espaço para falar, para ser ouvida, para ter direitos, participar, ser respeitada, ser um ser humano pleno e livre. Esta é uma das maneiras como, no discurso educado, o poder se expressa. O mesmo poder que, no discurso não educado e nos atos físicos de intimidação e violência, e com muita frequência na maneira como o mundo é organizado, consegue silenciar, apagar e aniquilar as mulheres, como pares, como participantes, como seres humanos com direitos – e, tantas vezes, como seres vivos.

A luta continua – a luta para que as mulheres sejam tratadas como seres humanos com direito à vida, à liberdade e ao envolvimento nas arenas culturais e políticas, e essa às vezes é uma batalha muito sombria. Eu mesma me surpreendi ao escrever o ensaio, que começou com um incidente divertido e terminou com estupro e assassinato. Isso tornou claro para mim o contínuo que se estende de um pequeno incidente social desagradável até o silenciamento violento e a morte violenta (e creio que compreenderíamos melhor ainda a misoginia e a violência contra as mulheres se considerássemos o abuso de poder como um todo, em vez de tratar a violência doméstica em separado do estupro, do homicídio, do assédio e da intimidação, seja on-line ou em casa, no local de trabalho ou nas ruas; quando se vê tudo isso em conjunto, os padrões predominantes ficam bem claros).

Ter o direito de aparecer e de falar é algo básico para a sobrevivência, a dignidade e a liberdade. Eu me sinto grata ao pensar que, depois de passar toda uma parte inicial da minha vida sendo silenciada, por vezes de modo violento, tornei-me adulta e consegui ter uma voz. São circunstâncias que sempre vão me unir aos direitos daqueles que não têm voz.

CAPÍTULO 2

A guerra mais longa

qui nos Estados Unidos, onde há um estupro registrado a cada seis minutos e doze segundos, e uma em cada cinco mulheres será estuprada em algum momento de sua vida, o estupro e o horrível assassinato de uma jovem num ônibus em Nova Déli, na Índia, em 16 de dezembro de 2012, foi tratado como um incidente excepcional. A notícia do ataque sexual a uma adolescente inconsciente por membros do time de futebol da Steubenville High School, em Ohio, ainda estava se desenrolando, e estupros coletivos também não são nada incomuns neste país. Pode escolher: alguns dos vinte homens que estupraram uma menina de 11 anos em Cleveland, Texas, tinham sido condenados pouco antes, e o instigador do estupro coletivo de uma adolescente de 16 anos em Richmond, Califórnia, também foi condenado naquele outono de 2012, e quatro homens que estupraram uma garota de 15 anos perto de Nova Orleans foram condenados em abril, embora os seis homens que estupraram uma garota de 14 anos em Chicago naquele mesmo ano continuavam soltos. Não é que eu ande procurando incidentes: eles estão por toda parte no noticiário, embora ninguém os conte e mostre que pode haver, de fato, um padrão se repetindo.

No entanto, existe um padrão de violência contra as mulheres que é amplo, profundo, terrível e com frequência ignorado. Pode ocorrer que um caso envolvendo alguma pessoa famosa, ou detalhes escandalosos de um incidente em particular ganhem muita atenção na mídia; mas esses casos são tratados como anomalias. Por outro lado, a abundância de pequenas notícias locais sobre a violência contra mulheres nos Estados Unidos, em outros países, em todos os continentes, inclusive na Antártida, constitui uma espécie pano de fundo para os noticiários.

E se você quiser falar sobre estupros em ônibus, e não estupros coletivos, em novembro uma mulher com deficiência mental foi estuprada num ônibus em Los Angeles, e uma menina autista de 6 anos foi sequestrada na rede ferroviária de Oakland, Califórnia, e estuprada repetidas vezes pelo sequestrador, durante dois dias. Houve também, recentemente, o estupro coletivo de várias mulheres num ônibus na Cidade do México. Enquanto escrevia estas linhas, li outra notícia da Índia – mais uma passageira num ônibus foi sequestrada e estuprada durante toda a noite pelo motorista do ônibus e cinco amigos seus, que devem ter achado que aquilo que aconteceu em Nova Déli foi sensacional.

Temos uma abundância de estupro e violência contra a mulher nos Estados Unidos e neste planeta, embora quase nunca seja tratado como uma questão de direitos civis ou direitos humanos, ou uma crise, ou mesmo um padrão geral de comportamento. A violência não tem raça, nem classe, nem religião, nem nacionalidade; mas tem gênero.

Aqui quero deixar claro uma coisa: embora praticamente todos os perpetradores desses crimes sejam homens, isso não significa que todos os homens sejam violentos. A maioria não é. Além disso, os homens, sem dúvida, também sofrem violência, em geral pela mão de outros homens, e cada morte violenta, cada um desses ataques, é terrível. As mulheres também podem cometer violência conjugal e por vezes cometem; mas estudos recentes mostram que esses atos geralmente não resultam em ferimentos significativos, muito menos morte. Por outro lado, se acontece de um homem ser assassinado pela companheira, com frequência o motivo é legítima defesa; e a violência conjugal manda muitas, muitíssimas mulheres para o hospital e para o túmulo. Mas o assunto aqui é a pandemia de violência dos homens contra as mulheres, a violência perpetrada tanto por parceiros como por estranhos.

O QUE NÃO DIZEMOS
QUANDO NÃO FALAMOS SOBRE GÊNERO

Há tantos casos assim acontecendo. Poderíamos falar sobre o ataque e estupro de uma mulher de 73 anos no Central Park, em Manhattan, em setembro de 2012, ou o recente caso do estupro de uma menina de 4 anos e uma senhora de 83 em Louisiana. Ou ainda sobre o policial nova-iorquino, preso em outubro de 2012, pelos planos aparentemente sérios de sequestrar, estuprar, cozinhar e comer uma mulher – qualquer mulher, pois seu ódio não era pessoal. (Mas talvez fosse algo pessoal para o homem de San Diego que realmente matou e cozinhou a esposa, em novembro, e também para aquele outro de Nova Orleans que matou, desmembrou e cozinhou a namorada, em 2005.)

Todos esses são crimes excepcionais, mas também poderíamos falar dos ataques cotidianos – pois embora um estupro seja relatado a cada seis minutos e doze segundos nos Estados Unidos, o total estimado talvez seja cinco vezes maior. O que significa que pode haver quase um estupro por minuto nos Estados Unidos. Tudo isso totaliza dezenas de milhões de vítimas de estupro. Uma parcela significativa das mulheres que você conhece é composta de sobreviventes de violência sexual.

Poderíamos falar dos estupros perpetrados por atletas nos colégios ou nas universidades ou dos estupros nos *campi*, aos quais as autoridades universitárias vêm mostrando um desinteresse revoltante em reagir, incluindo a escola secundária de Steubenville, a Universidade Notre Dame, o Amherst College e muitas outras. Poderíamos falar sobre a pandemia galopante de estupros, agressões sexuais e assédio sexual nas Forças Armadas – o secretário de Defesa norte-americano Leon Panetta calculou que houve 19 mil agressões sexuais contra mulheres militares apenas em 2010, com a grande maioria dos agressores saindo impune, embora o general de quatro estrelas Jeffrey Sinclair tenha sido indiciado em setembro por "uma série de crimes sexuais contra mulheres".

Mas vamos deixar de lado a violência no local de trabalho; vamos para casa. São tantos os homens que assassinam suas companheiras e ex-companheiras que temos bem mais de mil homicídios desse tipo por ano – ou seja, a cada três anos o número de mortos é igual ao das vítimas dos ataques de 11 de setembro de 2001, embora ninguém declare guerra contra esse tipo de terrorismo. (Outra maneira de colocar os fatos em perspectiva: houve mais de 11.766 mortes por violência doméstica entre o dia 11 de setembro de 2001 e o ano de 2012, um número maior do que o das mortes daquele dia somado a todos os soldados americanos mortos na "guerra contra o terror".) Se quisermos falar sobre crimes como esses e por que eles são tão comuns, teríamos que mencionar as mudanças profundas que são tão necessárias para essa sociedade, ou para os Estados Unidos, ou para quase todos os países. Se falássemos sobre isso, falaríamos sobre masculinidade, ou os papéis masculinos, ou talvez sobre o patriarcado, e não costumamos conversar muito sobre nada disso.

Em vez disso, o que nos dizem é que os homens norte-americanos cometem assassinatos-suicídios – à razão de doze por semana – porque a economia está ruim, embora também o façam quando a economia está boa; ou que aqueles homens na Índia assassinaram a passageira do ônibus porque os pobres têm ressentimento contra os ricos, enquanto outros estupros na Índia são explicados pelo fato de que os ricos exploram os pobres; e há ainda as outras explicações sempre populares: problemas mentais, drogas – e para os atletas estudantis, lesões na cabeça. A versão mais recente é que a exposição ao chumbo foi responsável por grande parte da nossa violência – só que ambos os sexos estão expostos a chumbo e apenas um deles comete a maior parte das violências. A pandemia da violência sempre é explicada por qualquer motivo, menos o gênero do agressor – a explicação mais ampla de todas.

Alguém escreveu um artigo dizendo que os assassinatos em massa nos Estados Unidos são sempre cometidos por homens brancos – e os comentários (em geral hostis) só notavam a parte sobre o branco. É raro que alguém diga o que esse estudo médico diz da maneira mais seca possível: "Ser homem já foi identificado como fator de risco para o comportamento criminoso violento em vários estudos, assim como ser exposto à fumaça de cigarro antes de nascer, ter pais antissociais e pertencer a uma família pobre".

Não é que eu queira criticar injustamente os homens. Apenas acredito que se notarmos que as mulheres são, de modo geral, radicalmente menos violentas, poderemos teorizar de uma forma muito mais produtiva sobre a origem da violência e o que podemos fazer a respeito. Sem dúvida, o fácil acesso às armas é um enorme problema para os Estados Unidos, mas embora as armas estejam disponíveis para todos, 90% dos assassinatos são cometidos por homens.

O padrão geral é claro como a luz do dia. Poderíamos falar disso como um problema mundial, constatando a epidemia de ataques, estupros e assédio às mulheres na Praça Tahrir, no Cairo, que tirou, justamente, a liberdade tão celebrada durante a Primavera Árabe – e levou alguns homens egípcios a formar equipes de defesa contra essa epidemia. Ou a perseguição das mulheres na Índia, em público e na esfera privada, desde o hábito do assédio constante, chamado "Provocar Eva" (Eve Teasing),* até a ocorrência comum de incendiar as recém-casadas.** Ou os "assassinatos de honra" no sul da Ásia e no Oriente Médio, ou o fato de que a África do Sul se tornou uma capital mundial do estupro, com estimados 600 mil em 2013. Ou ainda, a maneira como o estupro tem sido usado como tática e "arma de guerra" no Mali, no Sudão e no Congo, assim como foi na ex-Iugoslávia; ou a ocorrência generalizada do estupro e do assédio sexual no México, e ainda os feminicídios em Juarez; ou ainda sobre a negação de direitos básicos para a mulher na Arábia Saudita e as incontáveis agressões sexuais contra as imigrantes que trabalham como empregadas domésticas no país; ou a maneira como o caso de Dominique Strauss-Kahn nos

---

* Termo usado no sudoeste da Ásia para o assédio sexual no espaço público. (N.T.)

** Crime no qual o homem se casa para ganhar o dote pago pela família da futura esposa, e a mata logo depois do casamento. (N.T.)

Estados Unidos revelou a impunidade que ele e outros homens têm na França. E é apenas por falta de espaço que estou deixando de fora a Grã-Bretanha, o Canadá e a Itália (com seu ex-primeiro-ministro conhecido por fazer orgias com garotas menores de idade), a Argentina, a Austrália e tantos outros países.

QUEM TEM O DIREITO DE MATAR VOCÊ?

Mas talvez você já esteja cansada de estatísticas, então vamos falar sobre um único incidente que aconteceu na minha cidade enquanto eu fazia pesquisas para este ensaio, em janeiro de 2013. Foi um dos muitos casos de agressão a mulheres publicados nos jornais de São Francisco naquele mês:

> Uma mulher foi esfaqueada depois de rejeitar os avanços sexuais de um homem enquanto caminhava no bairro Tenderloin, de São Francisco, na segunda-feira à noite, disse um porta-voz da polícia. A vítima, de 33 anos, estava caminhando pela rua quando um estranho se aproximou dela e lhe fez uma proposta sexual, afirmou o porta-voz da polícia, Albie Esparza. Quando ela o rejeitou, o homem ficou muito contrariado e esfaqueou a vítima no rosto e no braço, disse Esparza.

Em outras palavras, o homem viu ali uma situação em que sua vítima escolhida não tinha direitos nem liberdades, enquanto ele tinha o direito de controlá-la e de puni-la. Isso deve nos lembrar que a violência é, antes de qualquer coisa, autoritária. Ela começa com esta premissa: "Eu tenho o direito de controlar você".

O assassinato é a versão extrema desse autoritarismo, quando o assassino afirma que tem o direito de decidir se você vai viver ou morrer – o meio mais extremo de controlar alguém. Isso pode acontecer mesmo que você seja obediente, porque o desejo de controlar provém de uma raiva que a obediência não consegue mitigar. Qualquer que seja o medo ou a sensação de vulnerabilidade subjacente a esse comportamento, ele também resulta do sentimento de ter direitos sobre alguém – o direito de infligir sofrimento e até mesmo a morte a outras pessoas. É algo que gera sofrimento no perpetrador e nas vítimas.

Quanto ao incidente ocorrido na minha cidade, coisas semelhantes acontecem o tempo todo. Comigo aconteceram diversas versões dele quando eu era mais jovem, incluindo ameaças de morte e torrentes de obscenidades: um homem se aproxima de uma mulher com desejo e, ao mesmo tempo, com a expectativa furiosa de que seu desejo provavelmente será rejeitado. A fúria e o desejo vêm num só pacote, entrelaçados, formando algo que sempre ameaça transformar *eros* em *thanatos*, amor em morte, às vezes literalmente.

É um sistema de controle. É por isso que tantas mulheres assassinadas foram as que ousaram romper o relacionamento com seus parceiros. A consequência é que isso aprisiona muitas mulheres. Pensemos no agressor de Tenderloin em 7 de janeiro, ou no brutamontes decidido a estuprar perto de meu bairro, em 5 de janeiro, ou outro estuprador da vizinhança em 12 de janeiro, ou o morador de São Francisco que em 6 de janeiro ateou fogo à namorada porque ela se recusou a lavar a roupa dele, ou o cara condenado a 370 anos de prisão por vários estupros violentos em São Francisco no fim de 2011. Pode-se alegar que todos eles eram marginais, mas o fato é que sujeitos ricos, famosos e privilegiados também fazem essas coisas.

Em setembro de 2012 o vice-cônsul japonês em São Francisco foi acusado de doze delitos de abuso da esposa e ataque com arma letal, no mesmo mês em que, na mesma cidade, a ex-namorada de Mason Mayer (irmão de Marissa Mayer, CEO da Yahoo) deu seu testemunho no tribunal: "Ele arrancou meus brincos, arrancou meus cílios postiços, enquanto cuspia na minha cara e me dizia que eu não tinha nada de atraente, nada de bom. [...] Eu estava no chão em posição fetal, e quando tentei me mexer ele me apertou entre os dois joelhos para me segurar e me esbofeteou". Segundo a repórter Vivian Ho, do *San Francisco Chronicle*, a moça também declarou que "Mayer bateu a cabeça dela no chão repetidas vezes e lhe arrancou chumaços de cabelo, dizendo-lhe que a única maneira de sair viva do apartamento seria se ele a levasse até a ponte Golden Gate, 'onde você pode pular, ou então eu vou te empurrar'". Mason Mayer conseguiu liberdade condicional.

No verão anterior, um ex-marido infringiu a ordem judicial de afastamento da esposa, atirando nela – e matando ou ferindo outras seis mulheres – no local de trabalho dela num subúrbio de Milwaukee; mas como houve apenas quatro mortes, o crime recebeu pouca atenção da mídia, num ano com tantos assassinatos em massa mais espetaculares nos Estados Unidos (e ainda nem falamos sobre o fato de que, de 62 assassinatos em massa nos Estados Unidos em três décadas, apenas um foi cometido por uma mulher, porque quando se fala em "atirador solitário", todo mundo comenta sobre os solitários e as armas, mas não sobre o fato de que são homens. Aliás, quase dois terços de todas as mulheres mortas por armas de fogo são assassinadas pelo companheiro ou ex-companheiro).

O que o amor tem a ver com isso? [*What's love got to do with it?*] perguntou Tina Turner, cujo ex-marido, Ike, certa vez disse: "Sim, eu batia nela, mas não mais do que qualquer sujeito comum bate na mulher". Uma mulher é espancada a cada nove segundos nos Estados Unidos. Deixando bem claro: não a cada nove minutos, mas a cada nove segundos. Essa é a principal causa de lesões nas mulheres norte-americanas; dos 2 milhões de mulheres feridas anualmente, mais de meio milhão dessas lesões exigem atendimento médico, e cerca de 145 mil também requerem uma noite no hospital, segundo o Centro de Controle de Doenças. E nem queira saber sobre os serviços dentários necessários depois. O marido ou parceiro também é a principal causa de morte de mulheres grávidas nos Estados Unidos.

"No mundo todo, as mulheres entre 15 e 44 anos de idade têm mais probabilidade de morrer ou de serem mutiladas pela violência masculina do que por câncer, malária, guerras e acidentes de trânsito, tudo somado", escreve Nicholas D. Kristof, colunista do *The New York Times*, uma das poucas figuras de renome que trata dessa questão regularmente.

O ABISMO ENTRE OS NOSSOS MUNDOS

O estupro e outros atos de violência, chegando até o assassinato, bem como as ameaças de violência, são a barragem que alguns homens erguem ao tentar controlar algumas mulheres, e o medo dessa violência limita a maioria delas. São limitações a que elas já se habituaram de tal maneira que mal notam – e dificilmente enfrentam. Há exceções: no verão passado, alguém me escreveu relatando uma aula na universidade em que se perguntou às alunas o que deveriam fazer para se proteger contra estupros. As jovens descreveram suas intrincadas maneiras de permanecer alertas, de limitar seu acesso ao mundo, de tomar precauções – basicamente, elas têm o estupro em mente o tempo todo (enquanto os rapazes da turma, acrescentou ele, ficaram boquiabertos de espanto). De repente, o abismo entre esses mundos se tornou visível por alguns momentos.

De modo geral, porém, nós não conversamos sobre tudo isso – embora esteja circulando na internet um gráfico chamado *Ten Top Tips to End Rape* [Dez Dicas para Acabar com o Estupro], o tipo de mensagem que as jovens recebem com frequência, mas com um viés subversivo. Dava conselhos como o este: "Leve um apito! Se você achar que talvez possa atacar alguém 'por acaso', pode entregá-lo para a pessoa com quem você está, para que ela peça ajuda". Embora seja divertido, o texto indica algo terrível: as orientações habituais nessas situações colocam todo o ônus da prevenção sobre as possíveis vítimas, tratando a violência como algo dado, estabelecido. Não há nenhuma boa razão (e há muitas más razões) para que as universidades passem mais tempo dizendo às mulheres como sobreviver aos agressores sexuais do que dizendo à outra metade dos alunos que não sejam predadores. Ameaças de agressão sexual agora ocorrem na internet regularmente. No fim de 2011 a colunista britânica Laurie Penny escreveu:

> Ao que parece, a opinião é a minissaia da internet. Ter uma opinião e expressá-la equivale a pedir a uma massa amorfa, quase integralmente masculina, de agressores do teclado, que lhe digam como eles gostariam de estuprar e matar você e urinar em cima do seu corpo. Essa semana, depois de uma série de ameaças especialmente horríveis, decidi publicar no Twitter apenas algumas dessas mensagens, e recebi uma reação extraordinária. Muita gente não conseguia acreditar que eu fosse alvo de tanto ódio, e muitas mulheres também começaram a contar suas histórias de assédio, intimidação e abuso.

Muitas mulheres da comunidade dos *games* on-line foram perseguidas, ameaçadas e expulsas. Anita Sarkeesian, uma feminista crítica de mídia que documentou esses incidentes, recebeu apoio para o seu trabalho, mas também recebeu, nas palavras de um jornalista, "mais uma onda de ameaças pessoais realmente agressivas e violentas, e tentativas de invadir suas contas nas redes sociais. Um homem de Ontário teve a iniciativa de criar um joguinho no qual se podia dar socos na imagem de Anita na tela. Dando muitos socos, começavam a aparecer cortes e hematomas na imagem". A diferença entre esses jogadores on-line e os homens talibãs que, em outubro passado, tentaram assassinar Malala Yousafzai, de 14 anos, por falar sobre o direito das mulheres paquistanesas à educação, é apenas uma diferença de grau. Ambos os grupos estão tentando silenciar e punir as mulheres por reivindicarem voz, poder e o direito de participar. Seja bem-vinda ao "Masculinistão".

O PARTIDO DA PROTEÇÃO DOS DIREITOS DOS ESTUPRADORES

Não é apenas um fenômeno público, ou privado, ou que só ocorre na internet. É algo que também está entranhado no nosso sistema político e no nosso sistema legal – o qual, antes de as feministas lutarem por nós, não reconhecia como delitos, de modo geral, a violência doméstica, o assédio sexual, a perseguição, o estupro no namoro e o estupro conjugal; e, até hoje, em casos de estupro muitas vezes julga a vítima, e não o estuprador – como se apenas donzelas imaculadas possam ser agredidas ou mereçam crédito.

Como aprendemos na campanha eleitoral de 2012, esse fenômeno também está entranhado na mente e na boca dos nossos políticos. Lembre-se daquela onda de declarações malucas a favor do estupro feitas pelos republicanos em 2011, começando pela notória alegação de Todd Akin de que o corpo da mulher tem maneiras de evitar a gravidez num caso de estupro – afirmação que ele fez para negar às mulheres o controle sobre o próprio corpo (sob a forma de acesso ao aborto após um estupro). Depois disso Richard Mourdock, candidato ao Senado, afirmou que a gravidez decorrente de um estupro é "um presente de Deus"; e logo depois outro político republicano saiu em defesa do comentário de Akin. Felizmente, todos os cinco republicanos publicamente pró-estupro na campanha de 2012 perderam a reeleição. (O comediante Stephen Colbert tentou adverti-los de que as mulheres conseguiram o direito ao voto em 1920.) Mas não se trata apenas das porcarias que eles dizem (e do preço que agora pagam por isso). Os republicanos do Congresso se recusaram a revalidar a Lei da Violência contra as Mulheres porque se opunham à proteção que essa lei dava às mulheres imigrantes, transgêneros e indígenas. (Falando em epidemias, uma em cada três mulheres indígenas norte-americanas será estuprada, e nas reservas indígenas 88% desses estupros são cometidos por homens não indígenas, que sabem que o governo tribal não pode processá-los. Como se pode argumentar que o estupro é um crime passional? Esses crimes são cometidos de forma calculada e com oportunismo.)

E os políticos estão com a corda toda para eliminar os direitos reprodutivos – tanto o controle da natalidade como o aborto, tal como vêm fazendo, com muita eficácia, em muitos estados norte-americanos nos últimos dez ou doze anos. O que se entende por "direitos reprodutivos", é claro, é o direito da mulher de controlar o próprio corpo. Pois já não mencionei que a violência contra as mulheres é uma questão de controle?

E embora muitas vezes os estupros sejam investigados com total descaso – há nos Estados Unidos um acúmulo de 400 mil *kits* com evidências de estupro ainda não testados –, os estupradores que engravidam a vítima têm direitos parentais em 31 estados norte-americanos. Ah, e o ex-candidato à vice-presidência e atual congressista Paul Ryan (republicano do "Masculinistão") está reintroduzindo um projeto de lei que daria aos estados o direito de proibir o aborto, e poderia até mesmo permitir que um estuprador processe a mulher que ele estuprou por abortar.

TODAS AS COISAS DE QUE AS MULHERES NÃO SÃO CULPADAS

É claro que as mulheres são capazes de fazer todo tipo de coisas desagradáveis, e há crimes violentos cometidos por mulheres, mas a chamada guerra dos sexos é extremamente desequilibrada quando se trata da violência real. Ao contrário do último chefe (homem) do Fundo Monetário Internacional, a atual chefe (mulher) não vai atacar pessoas que trabalham num hotel de luxo; as mulheres militares de alta patente do Exército dos Estados Unidos, ao contrário dos seus colegas homens, não são acusadas de agressões sexuais; e as jovens atletas, ao contrário dos jogadores de futebol americano de Steubenville, provavelmente não vão urinar em cima de garotos desmaiados, muito menos estuprá-los e depois se vangloriar da proeza em vídeos no YouTube e mensagens no Twitter.

Nunca as passageiras de ônibus na Índia se uniram para atacar sexualmente um homem, e com tanta violência que ele morresse devidos aos ferimentos; tampouco na Praça Tahrir do Cairo houve bandos de mulheres saindo à caça de homens e os aterrorizando. Também não há um equivalente materno para 11% dos estupros, que são cometidos pelo pai ou pelo padrasto. Da população carcerária nos Estados Unidos,

93,5% não são mulheres; e embora muitos prisioneiros sequer devessem estar ali, talvez alguns deles de fato deveriam estar ali, por serem violentos – até que pensemos numa maneira melhor de lidar com a violência, e com eles. Nenhuma estrela pop já estourou a cabeça de um rapaz que levou para casa, tal como fez Phil Spector. (Ele agora faz parte daqueles 93,5% dos presidiários por assassinar Lana Clarkson, aparentemente porque ela recusou seus avanços.) Nenhuma atriz de cinema já foi acusada de violência doméstica, e Angelina Jolie simplesmente não está fazendo a mesma coisa que Mel Gibson e Steve McQueen já fizeram. Também não há nenhuma diretora de cinema que deu drogas a uma criança de 13 anos e depois a atacou sexualmente enquanto a criança repetia "Não, não!", tal como fez Roman Polanski.

EM MEMÓRIA DE JYOTI SINGH

Qual o problema da masculinidade? Existe alguma coisa na maneira como a masculinidade é imaginada, naquilo que é elogiado e incentivado, na maneira como a violência é transmitida aos meninos, alguma coisa que precisamos olhar com atenção. Há homens adoráveis e maravilhosos por aí, e uma das coisas animadoras na batalha atual da guerra contra as mulheres é ver quantos homens compreendem tudo isso, consideram que o problema também é deles, nos defendem e estão conosco, tanto na vida cotidiana como on-line e nas passeatas, de Nova Déli a São Francisco.

Cada vez mais os homens estão se tornando bons aliados – e sempre houve alguns assim. A bondade e a gentileza nunca tiveram gênero, nem tampouco a empatia. As estatísticas de violência doméstica diminuíram significativamente em relação às décadas anteriores (embora os números ainda sejam chocantes) e muitos homens estão trabalhando para criar novas ideias e novos ideais de masculinidade e de poder.

Os homens *gays* redefiniram e, ocasionalmente, sabotaram a masculinidade convencional – e isso em público, há muitas décadas – e muitas vezes foram grandes aliados das mulheres. A libertação das mulheres já foi muito retratada como um movimento que pretende invadir o campo dos homens, ou tirar deles o poder e o privilégio, como se a vida fosse um triste jogo de soma zero, no qual apenas um gênero de cada vez pode ser livre e poderoso. No entanto, somos livres juntos ou então somos escravos juntos. Decerto a mentalidade de quem pensa que precisa vencer, dominar, punir, ser o rei supremo, deve ser terrível e nada livre, e desistir dessa busca irrealizável seria libertador.

Existem outros assuntos sobre os quais eu preferiria escrever, mas este afeta todo o resto. Metade da humanidade continua sendo perseguida, explorada e muitas vezes exterminada por essa violência tão difundida. Pense em quanto tempo e energia nós teríamos a mais para nos concentrarmos em outras coisas importantes se não estivéssemos tão ocupadas em apenas sobreviver. Considere: uma das melhores jornalistas que eu conheço tem medo de voltar para casa a pé à noite, no nosso bairro. Será que ela deveria parar de trabalhar até tarde? Quantas mulheres tiveram que parar de fazer o seu trabalho, ou foram impedidas de fazê-lo, por razões semelhantes? E está bem claro agora que a perseguição monumental que se propaga na internet intimida muitas mulheres a desistir de falar e escrever.

Um dos novos movimentos políticos mais emocionantes do planeta é o que defende os direitos dos indígenas canadenses, com conotações feministas e ambientais, chamado Idle No More [Chega de Apatia]. Em 27 de dezembro, logo que o movimento decolou, uma mulher indígena foi sequestrada, estuprada, espancada e deixada quase morta em Thunder Bay, Ontário. Pelo que os perpetradores lhe disseram, o crime era uma retaliação contra o movimento Idle No More. Ela conseguiu caminhar por quatro horas no frio cortante e sobreviveu para contar a história. Seus agressores, que já ameaçaram repetir a proeza, ainda estão à solta.

O estupro e assassinato de Jyoti Singh, de 23 anos, que estudava fisioterapia para poder melhorar sua vida e também ajudar os outros, e o ataque ao seu companheiro (que sobreviveu) parecem ter desencadeado a reação que nós precisávamos há cem anos, ou mil, ou cinco mil anos. Desejo que Jyoti Singh seja para as mulheres – e para os homens – de todo o mundo o mesmo que Emmett Till, assassinado por supremacistas brancos em 1955, foi para os afro-americanos e para o movimento dos direitos civis nos Estados Unidos, que começava a surgir.

Temos mais de 87 mil estupros neste país todos os anos, mas cada um deles é retratado, invariavelmente, como um incidente isolado. São pontos num mapa, mas tão próximos que já viraram salpicos e vão formando uma mancha – mas quase ninguém une esses pontos, nem dá nome a essa mancha. Na Índia, porém, eles fizeram isso. Declararam que essa é uma questão de direitos civis, uma questão de direitos humanos, é um problema de todos, não é isolado, e nunca mais vai ser aceitável. É algo que tem que mudar. E quem deve trabalhar para mudá-lo sou eu, você e todos nós.

CAPÍTULO 3

Dois mundos colidem numa suíte de luxo

Algumas reflexões sobre o FMI, a injustiça global e um desconhecido num trem

Como posso contar uma história que já conhecemos tão bem, bem até demais? O nome dela era África. O nome dele era França. Ele a colonizou, a explorou, a silenciou, e mesmo décadas depois que isso já deveria ter terminado, continuou forçando e usando sua superioridade para resolver os negócios dela, em lugares como a Costa do Marfim – nome dado ao país em função dos seus produtos de exportação, não da sua própria identidade.

O nome dela era Ásia. O nome dele, Europa. O nome dela era silêncio. O dele, poder. O nome dela era pobreza. O dele, riqueza. O nome dela era dela, mas o que pertencia a ela? O nome dele era dele, e ele presumia que tudo fosse dele, inclusive ela, e julgou que poderia tomá-la sem pedir nem perguntar, e sem consequência alguma. É uma história muito antiga, embora seu desfecho tenha mudado um pouco nas últimas décadas. E dessa vez as consequências estão abalando muitos alicerces – todos os quais, sem dúvida, bem precisavam de uma boa sacudida.

Quem haveria de escrever uma fábula tão óbvia, tão tosca como essa notícia que acabamos de receber? O extraordinariamente poderoso chefe do Fundo Monetário Internacional (FMI), uma organização global que criou pobreza e injustiça econômica em massa, supostamente agrediu uma camareira, uma imigrante africana, numa suíte de luxo de um hotel em Nova York.

Dois mundos entraram em choque. Em eras passadas, a palavra dela não valeria nada contra a dele; ela talvez não o acusasse, ou a polícia talvez não desse ouvidos à acusação e não arrancasse Dominique Strauss-Kahn (DSK) de um avião para Paris no último minuto. Mas ela acusou, e a polícia a ouviu, e agora ele está sob custódia policial, e a economia europeia levou um golpe, e a política francesa virou de cabeça para baixo, com o país sentindo o choque e fazendo uma profunda reflexão e autoanálise.

Qual foi o raciocínio desses homens, esses que decidiram dar a DSK essa singular posição de poder, apesar de todos os relatos e provas das suas ações perversas? E qual foi o raciocínio dele, quando julgou que podia agir daquela forma e sair impune? Será que ele pensou que estava na França, onde, aparentemente, ele de fato saiu impune? Só agora uma jovem veio a público para acusá-lo de tê-la atacado em 2002. Por que só agora? A própria mãe dela, que tem cargo político, a dissuadiu, a jovem temia o impacto que a denúncia poderia causar sobre sua carreira jornalística (enquanto a mãe, ao que tudo indica, se preocupava mais com a carreira *dele*).

E o *The Guardian* escreve que esses relatos "deram mais peso às afirmações de Piroska Nagy, uma economista húngara, de que o diretor do FMI a assediava de forma persistente quando ela trabalhava no FMI, o que a fez sentir que não tinha outra opção senão concordar em dormir com ele no Fórum Econômico Mundial de Davos, em janeiro de 2008. Ela alegou que ele lhe telefonava e mandava e-mails constantemente, com o pretexto de lhe fazer perguntas sobre a especialidade dela, a economia de Gana, mas depois passava a usar linguagem sexual e convidá-la para sair".

Segundo alguns relatos, a mulher que acusou Strauss-Kahn de agressão sexual em Nova York é de Gana; em outros, é uma muçulmana da vizinha nação de Guiné. "Gana

– Prisioneira do FMI", dizia uma manchete de 2001 da BBC, normalmente tão contida. A reportagem documentava a maneira como as políticas do FMI destruíram a segurança alimentar do país, forte produtor de arroz, abrindo-o para a importação de arroz norte-americano barato e assim mergulhando a maior parte da população na pobreza extrema. Tudo no país se transformou numa mercadoria com um preço a pagar, desde usar um banheiro até conseguir um balde de água, e muitos não podiam pagar. Talvez fosse perfeito demais se ela fosse uma refugiada da política do FMI em Gana. A Guiné, por outro lado, se libertou da gestão do FMI graças à descoberta de grandes reservas de petróleo, mas continua sendo um país com grave corrupção e disparidade econômica.

O CAFETÃO DO NORTE GLOBAL

Há um axioma que os biólogos evolucionistas costumavam citar: "A ontogenia recapitula a filogenia", ou seja, o desenvolvimento do indivíduo embrionário repete a evolução da sua espécie. Será que a ontogenia desse suposto ataque sexual ecoa a filogenia do FMI? Afinal, a organização foi fundada ao final da Segunda Guerra Mundial como parte da famosa conferência de Bretton Woods, que passaria a impor a visão econômica dos Estados Unidos sobre o resto do mundo.

O FMI foi concebido para ser uma instituição de empréstimo destinada a ajudar os países a se desenvolverem, mas nos anos 1980 já tinha se tornado uma organização com uma ideologia – o fundamentalismo do livre comércio e do livre mercado. O Fundo utilizou seus empréstimos para ganhar um enorme poder sobre a economia e a política dos países de todo o Hemisfério Sul.

Mas se ganhou poder nos anos 1990, começou a perdê-lo no século XXI, graças a uma resistência popular efetiva contra suas políticas econômicas e o colapso econômico que elas causavam. Strauss-Kahn foi trazido para salvar os destroços de uma organização que, em 2008, teve que vender suas reservas de ouro e reinventar sua missão.

O nome dela era África. O dele, FMI. Ele armou toda a situação para que ela fosse saqueada, ficasse sem assistência médica, morresse de fome. Ele arrasou com ela a fim de enriquecer seus amigos. O nome dela era Sul Global. O dele era Consenso de Washington. Mas sua sequência de vitórias ia se acabando e a estrela dela estava em ascensão.

Foi o FMI que criou as condições econômicas que destruíram a economia da Argentina em 2001, e foi a revolta contra o FMI (entre outras forças neoliberais) que levou ao renascimento da América Latina nos últimos dez anos. Seja lá qual for a sua opinião sobre Hugo Chávez, foram os empréstimos da Venezuela, na época nadando em petróleo, que permitiram que a Argentina pagasse seus empréstimos ao FMI para poder definir suas próprias políticas econômicas, mais sensatas.

O FMI foi uma força predatória, abrindo os países em desenvolvimento para os assaltos econômicos do rico Norte e das poderosas empresas transnacionais. O FMI foi um cafetão. Talvez ainda seja. Mas desde as manifestações anticorporações de Seattle em 1999, que acenderam a faísca de um movimento global, houve uma revolta contra o Fundo. E essas forças venceram na América Latina, mudando o enquadramento de todos os debates econômicos ainda por vir e enriquecendo nossa imaginação na área das economias e das possibilidades.

Hoje o FMI é uma bagunça, a Organização Mundial do Comércio foi, de um modo geral, deixada à margem dos acontecimentos, o Nafta vilipendiado quase universalmente, a Área de Livre Comércio das Américas cancelada (embora continuem os acordos bilaterais de livre comércio) e boa parte do mundo aprendeu muito nesses dez anos de cursinho intensivo de política econômica.

ESTRANHOS NUM TREM

O *The New York Times* relatou os fatos da seguinte forma: "Quando o impacto da situação difícil de Strauss-Kahn ficou evidente, outras pessoas, inclusive da mídia, começaram a revelar histórias, havia muito suprimidas ou anônimas, sobre o que chamaram de comportamento predatório de Strauss-Kahn em relação às mulheres e a maneira agressiva como as perseguia sexualmente, desde estudantes e jornalistas até subordinadas".

Em outras palavras, Strauss-Kahn criava uma atmosfera desconfortável ou perigosa para as mulheres, o que seria diferente se ele trabalhasse, digamos, num pequeno escritório. Mas o fato de que um homem que controla uma parte do destino de todo o planeta dedicava suas energias, aparentemente, para gerar medo, infelicidade e injustiça ao seu redor é um fato que diz alguma coisa sobre o estado do nosso mundo e os valores dos países e instituições que toleravam seu comportamento, e o comportamento de outros homens como ele.

Nos Estados Unidos não têm faltado escândalos sexuais ultimamente, e eles emitem o mesmo odor pútrido da arrogância, mas pelo menos foram escândalos consensuais (até onde sabemos). O chefe do FMI, porém, é acusado de agressão sexual. Se esse termo confunde o leitor, retire a palavra "sexual" e se concentre apenas na "agressão", na violência, na recusa em tratar alguém como um ser humano, na negação do mais básico dos direitos humanos, o direito à integridade física e à autodeterminação. "Os direitos do homem" foi um dos grandes lemas da Revolução Francesa, mas sempre se questionou se estavam inclusos também os direitos da mulher. Os Estados Unidos têm 100 milhões de defeitos, mas me sinto orgulhosa ao ver que a polícia acreditou nessa mulher e ela terá seu acerto de contas num tribunal. Sinto-me gratificada, dessa vez, por não estar num país que decidiu que a carreira de um homem poderoso ou o destino de uma instituição internacional importa mais do que essa mulher, seus direitos e seu bem-estar. É isso que queremos dizer com "democracia": que todas as pessoas têm voz, que ninguém fica impune devido à sua riqueza, seu poder, sua raça ou seu gênero.

Dois dias antes de Strauss-Kahn supostamente ter saído nu daquele banheiro de hotel, houve uma grande manifestação em Nova York. O tema era "Wall Street tem que pagar" [*Make Wall Street Pay*] e 20 mil pessoas, incluindo sindicalistas, radicais, desempregados e muitos outros, se reuniram para protestar contra o assalto econômico que atinge os Estados Unidos, criando sofrimento e privação para tantos – e riquezas obscenas para uns poucos. (Esse foi o último grande protesto em Nova York contra a injustiça econômica antes do movimento Ocuppy Wall Street, iniciado em 17 de setembro de 2011, que teve, em poucas palavras, muito mais impacto.)

Eu participei do protesto. Depois, voltando ao Brooklyn no metrô lotado, com três companheiras, a mais jovem delas sentiu que alguém lhe apalpava as nádegas – era um homem mais ou menos da idade de Strauss-Kahn. No início ela pensou que ele apenas tinha sido empurrado contra ela. Depois, porém, sentiu as mãos dele lhe agarrando as nádegas e disse algo para mim, como as mocinhas costumam fazer, baixinho, com hesitação, como se aquilo talvez não estivesse acontecendo, ou talvez não fosse um problema. Por fim, ela olhou feio para ele e lhe disse para parar. Lembrei-me então de um episódio: eu tinha 17 anos e levava uma vida de estudante pobre em Paris, quando um idoso idiota agarrou meu traseiro. Foi talvez o meu momento mais americano na França – que na época era a terra de mil tarados arrogantes. Um momento americano porque eu levava num saco três toranjas, uma compra preciosa nessa época de dureza, e as atirei com força, uma depois da outra, como bolas de beisebol, em cima do tarado, e tive a satisfação de vê-lo fugir correndo noite adentro.

A ação dele, como tantos casos de violência sexual contra a mulher, visava, sem dúvida, me mostrar que esse mundo não era meu, que os meus direitos – *liberté, egalité, sororité* [liberdade, igualdade, fraternidade], digamos – não tinham nenhuma importância. Só que eu fiz o homem fugir debaixo de uma saraivada de frutas. E Dominique Strauss-Kahn foi arrancado de um avião para responder à Justiça. Mesmo assim, o fato de uma amiga minha ter sido apalpada por um tarado ao voltar de uma marcha pela justiça deixa claro quanto ainda precisa ser feito.

OS POBRES PASSAM FOME ENQUANTO OS RICOS TÊM QUE ENGOLIR SUAS PALAVRAS

O que dá tanta repercussão ao escândalo sexual que foi citado antes é que o suposto agressor e a vítima formam um modelo de um relacionamento que existe no mundo todo, começando pelo ataque do FMI contra os pobres. Esse ataque faz parte da grande guerra de classes de nossa era, na qual os ricos e seus representantes no governo vêm se empenhando em engrandecer suas posses à custa do restante da população. Os países pobres no mundo em desenvolvimento pagaram primeiro, mas nós todos estamos pagando agora, à medida que essas políticas e o sofrimento que elas impõem exercem seus efeitos por meio de modelos econômicos de direita, destruindo os sindicatos, o sistema educacional, o meio ambiente e os programas sociais para os pobres, os deficientes e os idosos, tudo isso em nome da privatização, do livre mercado e dos cortes de impostos.

Num dos mais notáveis pedidos de desculpas da nossa era, Bill Clinton – que também teve seu escândalo sexual, no passado – declarou à ONU, no Dia Mundial da Alimentação, em outubro de 2008, em plena implosão da economia mundial:

> Precisamos que o Banco Mundial, o FMI, todas as grandes fundações e todos os governos reconheçam que, durante trinta anos, nós todos estragamos tudo, inclusive eu quando fui presidente. Cometemos o erro de acreditar que o alimento era como qualquer outro produto do comércio internacional, e agora temos que voltar para uma forma de agricultura mais responsável e sustentável.

Clinton se expressou de uma maneira ainda mais contundente em 2013:

> Desde 1981 os Estados Unidos vinham seguindo uma política, até mais ou menos o ano passado, quando começamos a repensá-la, de que nós, os países ricos que produzimos muita comida, deveríamos vendê-la aos países pobres e assim aliviá-los do fardo de ter que produzir

seus próprios alimentos, de modo que, com a graça de Deus, eles poderiam saltar diretamente para a era industrial. Isso não deu certo. Pode ter sido bom para alguns dos meus fazendeiros em Arkansas, mas não deu certo. Foi um erro. Um erro do qual eu fiz parte. Não estou apontando o dedo para ninguém. Eu fiz isso. Tenho que conviver todos os dias com as consequências da capacidade perdida de se produzir uma safra de arroz no Haiti para alimentar a população, por causa daquilo que eu fiz.

Essa admissão de culpa de Clinton está no mesmo nível da de Alan Greenspan, ex-presidente do Federal Reserve, o banco central americano, que em 2008 admitiu que as premissas da sua política econômica estavam erradas. As políticas anteriores do Federal Reserve, assim como as do FMI, do Banco Mundial e dos fundamentalistas do livre comércio criaram pobreza, fome, sofrimento e morte. Nós aprendemos – a maioria de nós – e o mundo de fato mudou notavelmente desde a época em que os opositores ao fundamentalismo do mercado livre eram tachados de "defensores da teoria da terra plana, sindicatos protecionistas e yuppies buscando curtir o barato dos anos 1960". Essas foram as palavras "mortais" de Thomas Friedman, colunista do *The New York Times*, que mais tarde voltou atrás no que disse.

Algo notável aconteceu depois do devastador terremoto do Haiti em 2010: o FMI, sob o comando de Strauss-Kahn, planejava usar a vulnerabilidade do país para obrigá-lo a aceitar novos empréstimos segundo os termos habituais. Muitos ativistas reagiram ao plano, que decerto iria agravar o endividamento de uma nação já tão combalida, justamente em consequência das políticas neoliberais pelas quais Bill Clinton pediu desculpas, tardiamente. O FMI hesitou, recuou e concordou em cancelar a dívida do Haiti com a organização. Foi uma notável vitória para o ativismo bem informado.

OS PODERES DE QUEM NÃO TEM PODER

Parece que uma camareira de hotel conseguiu acabar com a carreira de um dos homens mais poderosos do mundo – ou melhor, que ele próprio acabou com sua carreira, ao ignorar os direitos e a condição humana dessa trabalhadora. Praticamente a mesma coisa aconteceu com Meg Whitman, bilionária ex-CEO do eBay, que se candidatou a governadora da Califórnia em 2010. Ela tomou carona no movimento conservador atacando os imigrantes sem documentos – até que se verificou que ela própria tinha uma empregada doméstica de longa data, Nicky Diaz, exatamente nessas condições.

Quando, depois de nove anos de trabalho, não era conveniente manter, em termos políticos, Diaz no emprego, ela a despediu abruptamente, alegou que não sabia que a moça não tinha documentos legais, e se recusou a pagar o restante do salário devido. Em outras palavras, Whitman se dispôs a gastar US$ 178 milhões na sua campanha pelo governo, mas pode ter derrubado a si mesma devido a uma dívida salarial de US$ 6.210.

Diaz disse: "Eu senti que ela estava me jogando fora como se eu fosse um saco lixo". Mas o lixo tinha voz, e o Sindicato das Enfermeiras da Califórnia amplificou essa voz, e a Califórnia foi poupada de ser dominada por uma bilionária cujas políticas iriam brutalizar ainda mais os pobres e empobrecer a classe média.

As lutas pela justiça travadas por uma empregada doméstica sem documentos e uma camareira imigrante num hotel são microcosmos da grande guerra mundial da nossa época. E se Nicky Diaz e a batalha contra os empréstimos do FMI ao Haiti nos mostram alguma coisa, é que o resultado é incerto. Às vezes vencemos os combates, mas a guerra continua. Muita coisa ainda não se sabe sobre o que aconteceu naquela suíte de hotel caríssima de Manhattan, mas o que sabemos é isto: uma verdadeira guerra de classes está sendo travada abertamente na nossa época e, agora, um assim chamado socialista se colocou do lado errado dessa guerra. O nome dele era privilégio, mas o dela era possibilidade.

A história dele era a mesma velha história de sempre, mas a dela era uma nova história – sobre a possibilidade de mudar uma história que continua inacabada, que inclui todos nós, que tem tanta importância, que vamos assistir, mas também vamos relatar, nas semanas, meses, anos e décadas vindouros.

PÓS-ESCRITO

Este ensaio foi escrito em resposta aos relatos iniciais do que aconteceu no quarto de hotel de Dominique Strauss-Kahn em Manhattan. Depois disso, por meio de uma maciça injeção de dinheiro para poderosas equipes de advogados, DSK conseguiu que os promotores públicos de Nova York abandonassem a acusação criminal – e ainda manchassem a reputação da vítima com informações fornecidas pelos advogados. Tal como tanta gente muito pobre e tanta gente vinda de países mergulhados no caos, Nafissatou Diallo havia sempre vivido nas margens da sociedade, onde dizer a verdade às autoridades nem sempre é uma decisão sensata ou segura; assim, ela foi retratada como mentirosa. Numa entrevista à

Newsweek, ela disse que havia hesitado em dar queixa de estupro e temia as consequências. Mas havia, por fim, saído do silêncio e das sombras.

Assim como tantas outras mulheres e meninas que foram estupradas, em especial aquelas cuja história ameaça o *status quo*, seu caráter foi posto em julgamento. As manchetes na primeira página do *New York Post*, tabloide pertencente a Rupert Murdoch, disseram que ela era prostituta; mas por que uma prostituta iria trabalhar em tempo integral como camareira de hotel sindicalizada, por US$ 25 a hora? Isso era difícil explicar; e assim, ninguém se preocupou em fazê-lo. (O *New York Post* foi obrigado a fazer um acordo quando Nafissatou processou o jornal por calúnia.)

Várias pessoas, em especial Edward Jay Epstein na *New York Review of Books*, formularam histórias elaboradas para tentar explicar o que aconteceu. Por que uma mulher que, segundo as testemunhas, estava muito abalada, contou que havia sido atacada sexualmente? Por que o suposto agressor tentou fugir do país, ao que tudo indica em pânico? E por que seu sêmen foi encontrado nas roupas dela e em outros lugares, confirmando que havia ocorrido um encontro sexual? Houve um encontro sexual, quer consensual ou não. A explicação mais simples e mais coerente foi a da camareira Diallo. Como escreveu Christopher Dickey no *Daily Beast*, Strauss-Kahn "afirma que seu encontro sexual de menos de sete minutos, com essa mulher que ele não conhecia antes, foi consensual.

Para acreditar nele, teríamos que acreditar que Diallo viu aquele homem barrigudo de 60 anos saindo do chuveiro nu e se ofereceu voluntariamente para ficar de joelhos".

Depois disso outras mulheres deram queixa das agressões de Strauss-Kahn, incluindo uma jovem jornalista francesa que afirmou que ele tentou estuprá-la. Ele acabou envolvido numa rede que promovia festas libertinas, rede cujas interações com prostitutas violavam as leis francesas. Enquanto escrevo estas linhas, ele está sendo acusado de "cumplicidade agravada em *rede* organizada de favorecimento da prostituição", embora as acusações de estupro feitas por uma profissional do sexo tenham sido retiradas.

O que importa, no fim das contas, é que uma pobre imigrante derrubou a carreira de um dos homens mais poderosos do mundo – ou melhor, expôs um comportamento que já deveria ter acabado com essa carreira muito antes. Como resultado, as mulheres francesas fizeram uma nova avaliação da misoginia em sua sociedade. E a camareira Nafissatou Diallo ganhou o processo num tribunal civil contra o ex-chefe do FMI – embora os termos do que deve ter sido um substancial acordo financeiro incluíssem a exigência de silêncio. O que nos traz de volta ao ponto de partida.

CAPÍTULO 4

Elogio à ameaça

O que significa, de fato, "casamento igualitário"

Há tempos os defensores do casamento entre pessoas do mesmo sexo dizem que essas uniões não representam nenhuma ameaça – contradizendo assim os conservadores, que afirmam que essas uniões são uma ameaça ao casamento tradicional. Talvez os conservadores tenham razão, e talvez devêssemos festejar essa ameaça, em vez de negá-la. O casamento de dois homens ou de duas mulheres não impacta diretamente nenhum casamento específico de um homem com uma mulher. Mas, do ponto de vista metafísico, poderia impactar.

Para entender como, é preciso considerar o que é o casamento tradicional. E de que modo os dois lados estão dissimulando as coisas: os defensores do casamento gay ao negar, ou melhor, ignorar a ameaça, e os conservadores ao não explicitar o que, exatamente, está sendo ameaçado. Nos últimos tempos muitos norte-americanos trocaram a expressão canhestra "casamento entre pessoas do mesmo sexo" por "casamento igualitário". Normalmente isso significa que os casais do mesmo sexo terão os mesmos direitos que os casais heterossexuais. Mas também pode significar que o casamento é entre iguais. Não é isso que o casamento tradicional sempre foi. Durante boa parte de sua história no Ocidente, as leis sobre o casamento tornavam o marido, em essência, o proprietário, e a esposa sua posse. Ou faziam do homem o chefe, e da mulher uma serva ou escrava.

Em 1765 o juiz britânico William Blackstone escreveu, em seu influente comentário sobre o direito comum inglês e, mais tarde, sobre as leis americanas: "Pelo casamento, o marido e a esposa constituem uma só pessoa perante a lei: isto é, o próprio ser ou existência legal da mulher fica suspenso durante o casamento ou, pelo menos, é incorporado e consolidado na do marido". Sob tais regras, a vida da mulher era dependente da personalidade do marido, e embora houvesse maridos bondosos e outros não bondosos, os direitos legais são mais confiáveis do que a bondade de alguém que detém poder absoluto sobre você. E os direitos ainda estavam muito longe de surgir.

Até serem decretadas na Grã-Bretanha as Leis da Propriedade das Mulheres Casadas, em 1870 e 1882, tudo pertencia ao marido; a esposa não era possuidora legal de nem um tostão, mesmo que tivesse uma herança ou renda própria. Na época também foram aprovadas leis contra espancamento da esposa, tanto na Inglaterra como nos Estados Unidos; mas raramente foram aplicadas antes dos anos 1970. E o fato de a violência doméstica ser levada hoje aos tribunais (às vezes) não curou a epidemia dessa violência, em nenhum dos dois países.

O recente livro de memórias da romancista Edna O'Brien tem passagens de arrepiar os cabelos sobre sua jornada por um casamento muito tradicional. Seu primeiro marido se sentia diminuído devido ao sucesso literário dela, e a obrigava a lhe entregar os cheques que recebia. Quando ela se recusou a lhe dar um polpudo cheque relativo aos direitos para um filme, ele tentou estrangulá-la; mas quando ela deu queixa na polícia, ninguém se interessou. A violência me causa horror, mas também me horroriza o pressuposto subjacente de que o agressor tem o direito de controlar e punir sua vítima, e a forma como a violência é usada para esse fim.

O caso de Ariel Castro, de Cleveland, Ohio, acusado em 2013 de aprisionar, torturar e abusar sexualmente de três moças durante dez anos, é extremo, mas talvez não seja uma anomalia tão grande como se retrata. Para começar, parece que Castro era superviolento com sua já falecida esposa. E o que estava por trás das suas ações deve ter sido o desejo por uma situação em que ele detinha o poder absoluto e as mulheres eram completamente impotentes – uma versão perversa do arranjo tradicional.

É contra essa tradição que o feminismo protestava, e continua protestando – não apenas contra os extremos, mas a situação cotidiana. As feministas do século XIX conseguiram alguns avanços, as dos anos 1970 e 1980 fizeram muitos outros – avanços que vieram a beneficiar todas as mulheres dos Estados Unidos e do Reino Unido. E o feminismo possibilitou o casamento entre pessoas do mesmo sexo, ao lutar muito para transformar uma relação hierárquica numa relação igualitária. Sim, pois um casamento entre duas pessoas do mesmo sexo é inerentemente igualitário – um dos parceiros pode ter mais poder em diversos aspectos, mas de modo geral é uma relação entre pessoas que estão em pé de igualdade, e portanto são livres para definir seus papéis.

Homens gays e mulheres lésbicas já ampliaram o conceito de qualidades e papéis masculinos ou femininos, e ampliaram de muitas maneiras que podem ser libertadoras para os heterossexuais. E quando pessoas gays se casam, o significado do casamento também se amplia. Não há nenhuma tradição hierárquica subjacente a essa união. Algumas pessoas receberam essa novidade com alegria. Disse-me um pastor presbiteriano que celebrou vários casamentos gays: "Lembro-me de ter chegado a essa conclusão quando me encontrava com casais homossexuais antes de realizar a cerimônia, que já era legal na Califórnia. Os velhos padrões patriarcais não se aplicavam às suas relações, e era uma coisa gloriosa de se ver".

Os conservadores norte-americanos têm medo desse igualitarismo, ou talvez se sintam apenas consternados diante dele. Não é algo tradicional. Mas eles não querem falar sobre essa tradição nem sobre seu entusiasmo por ela – apesar de que basta acompanhar seus ataques contra os direitos reprodutivos, os direitos da mulher e o furor, ocorrido em fins de 2012 e início de 2013, acerca da revalidação da Lei da Violência contra a Mulher, e não é difícil ver qual a posição deles. No entanto, eles dissimularam seu verdadeiro interesse em impedir o casamento homossexual.

Quem acompanha o avanço da legislação relativa, por exemplo, à batalha pelo casamento igualitário na Califórnia, já ouviu muitos argumentos acerca da finalidade do casamento: ele serve para gerar e criar filhos e, sem dúvida, a reprodução requer a união de um espermatozoide com um óvulo; mas essa união pode se dar de muitas maneiras hoje em dia, inclusive num laboratório ou com o auxílio de uma "barriga de aluguel". E todos estamos conscientes de que muitas crianças hoje são criadas pelos avós, pelos padrastos ou madrastas, pelos pais adotivos e por outras pessoas que não as geraram, mas as amam.

Muitos casamentos heterossexuais optam por não ter filhos; muitos casamentos que optam por ter filhos se dissolvem: não há nenhuma garantia de que as crianças serão criadas num lar com pai e mãe. Os tribunais já desprezaram esse argumento contra o casamento igualitário baseado na reprodução e criação dos filhos. Mas os conservadores não basearam seu ataque no argumento que parece ser a sua verdadeira objeção: o fato de que eles desejam preservar o casamento tradicional e, mais que isso, os papéis tradicionais de cada sexo.

Conheço casais heterossexuais encantadores e fantásticos que se casaram nos anos 1940 e 1950 e em todas as décadas seguintes. São casamentos igualitários, plenos de reciprocidade e generosidade. Mas mesmo pessoas nada malévolas foram profundamente desiguais no passado. Conheci também um homem muito decente que faleceu aos 91 anos: no auge da vida, ele arranjou um emprego do outro lado do país sem informar à esposa que ela iria se mudar, nem convidá-la a participar da decisão. As decisões sobre a vida dela não cabiam a ela. Cabiam a ele.

Já está na hora de fechar a porta bem fechada sobre aquela época. E abrir outra porta, pela qual possamos acolher a igualdade: igualdade entre os sexos, entre os parceiros conjugais, igualdade para todos, em todas as circunstâncias. O casamento igualitário é uma ameaça sim: ele ameaça a desigualdade. É uma dádiva para todos os que valorizam a igualdade e se beneficiam dela. A igualdade no casamento é para todos nós.

CAPÍTULO 5

Avó Aranha

I

Uma mulher está pendurando roupas para secar. Tudo acontece, e nada acontece. Do seu corpo vemos apenas vários dedos das mãos, os dois pés e as duas pernas fortes e morenas. O lençol branco está pendurado à sua frente, mas o vento que sopra o cola junto ao seu corpo, revelando seus contornos. É um ato tão comum, pendurar roupas para secar, embora ela esteja de sapatos pretos de salto alto, como se estivesse vestida para algum outro evento, não para o trabalho doméstico; ou como se esse trabalho doméstico já fosse uma espécie de baile. Suas pernas se cruzam, como se executassem um passo de dança. O sol projeta no chão sua sombra e a sombra escura do lençol branco. A sombra parece uma ave negra e pernalta – uma criatura de outra espécie que se estende no chão a partir dos seus pés. O lençol esvoaça ao vento, a sombra da mulher esvoaça, e tudo isso numa paisagem tão nua, tão árida e sem escala que é como se pudéssemos enxergar a curvatura da Terra no horizonte. É um ato tão ordinário e tão extraordinário, pendurar roupas no varal – e pintar. Pintar faz aquilo que se pode fazer sem palavras – evocar tudo e não dizer nada, fazer um convite ao significado, sem se comprometer com nenhum significado em particular, oferecer uma pergunta em aberto, em vez de dar respostas. Aqui, neste quadro de Ana Teresa Fernandez, uma mulher existe e também é obliterada.

II

Penso muito sobre essa obliteração. Ou melhor, essa obliteração está sempre reaparecendo. Tenho uma amiga cuja árvore genealógica foi pesquisada e remonta a mil anos atrás, mas nela não há nenhuma mulher. Ela acaba de descobrir que ela mesma não existe; só seus irmãos existem. Sua mãe não existiu, nem a mãe do seu pai. Nem o pai da sua mãe. As avós não existiam. O pai tem um filho e um neto e assim a linhagem prossegue, com o nome da família passado adiante; a árvore vai se ramificando, e quanto mais tempo ela abrange, mais pessoas vão sumindo: irmãs, tias, mães, avós, bisavós – toda uma vasta população de desaparecidas, no papel e na história.

É uma família da Índia, mas essa versão da linhagem genealógica é bem conhecida para nós no Ocidente devido à Bíblia, na qual longas listas vinculam o pai que "gerou" o filho ao filho que "gerou" o neto. A maluca genealogia de catorze gerações citada no Evangelho de São Mateus, no Novo Testamento, vai desde Abraão até José (sem notar que supostamente foi Deus, e não José, o pai de Jesus). A Árvore de Jessé – uma espécie de totem da patrilinhagem de Jesus, tal como descrita em São Mateus – foi representada em vitrais e outros objetos de arte medievais, e é considerada a antepassada da árvore genealógica. Assim, a coerência – do patriarcado, da ancestralidade, da narrativa – é feita por eliminação e exclusão.

III

Elimine sua mãe, depois suas avós, depois suas quatro bisavós. Volte mais algumas gerações e centenas de pessoas, depois milhares desaparecem. As mães desaparecem, assim como os pais e mães dessas mães. Cada vez mais vidas vão desaparecendo, como se não tivessem sido vividas, até que você reduz uma floresta a uma só árvore, uma teia a uma só linha. É isso que é preciso para se construir uma narrativa linear de sangue, ou influência, ou significado. Eu via isso o tempo todo nas aulas de história da arte, quando nos diziam que Picasso gerou Pollock e Pollock gerou Warhol e assim por diante, como se os artistas fossem influenciados apenas por outros artistas. Há algumas décadas, num episódio famoso, Robert Irwin, um artista de Los Angeles, largou um crítico de arte nova-iorquino na beira da estrada depois que este se recusou a reconhecer o talento artístico de um jovem especializado em customizar carros e fazer "máquinas quentes". O próprio Irwin já tinha trabalhado customizando carros, e a cultura das "máquinas quentes" o havia influenciado profundamente. Lembro-me de uma artista contemporânea que foi mais educada do que Irwin, porém ficou igualmente aborrecida quando lhe tascaram um ensaio num catálogo que lhe atribuía uma linhagem paternalista, alegando que ela descendia diretamente de Kurt Schwitters e John Heartfield. Ela própria sabia, porém, que tinha vindo do trabalho manual, da tecelagem e de todos os atos práticos do fazer, de gestos cumulativos que a fascinavam desde a infância, quando do tinha visto pedreiros trabalhando em sua casa. Todo mundo é influenciado por essas coisas que precedem a educação formal, coisas que surgem do nada na vida cotidiana. Essas influências excluídas eu chamo de "as avós".

IV

Há outras maneiras de fazer mulheres desaparecer. Há a questão do sobrenome. Em algumas culturas as mulheres mantêm seu sobrenome, mas na maioria os filhos ficam com o sobrenome do pai. No mundo dos falantes da língua inglesa até muito recentemente, as mulheres casadas eram tratadas pelo nome do marido, antecedido por *Mrs.* [Sra.]. Você deixava, por exemplo, de ser Charlotte Brontë e passava a ser Sra. Arthur Nicholls. O nome apagava a genealogia da mulher e até sua própria existência. Isso correspondia à lei inglesa, tal como Blackstone a enunciou em 1765:

> Pelo casamento, o marido e a esposa constituem uma só pessoa perante a lei: isto é, o próprio ser ou a existência legal da mulher fica suspenso durante o casamento ou, pelo menos, é incorporado e consolidado no do marido; sob cuja asa, proteção e *cobertura*, ela executa tudo; e é, portanto, chamada em nossa lei pela palavra francesa de

femme-covert, ou seja, "mulher coberta" [...] ou sob a proteção e influência de seu marido, seu barão, ou senhor; e sua condição durante o casamento é chamada de *coverture* [cobertura]. Por essa razão, um homem não pode conceder nada à sua esposa, ou entrar numa aliança com ela: pois conceder seria supor a existência separada da mulher.

Ele a cobria – como um lençol, como uma mortalha, como um biombo. Ela não tinha uma existência separada.

V

Há tantas formas de não existência feminina. No início da guerra do Afeganistão, a revista de domingo do *The New York Times* publicou uma reportagem sobre o país. Uma foto grande mostrava uma família, mas vi apenas um homem e algumas crianças, até que percebi com espanto que aquilo que eu pensava ser uma cortina ou um móvel era uma mulher completamente coberta. Ela tinha desaparecido de vista, e sejam quais forem os argumentos acerca de burcas e véus, o fato é que eles fazem a pessoa literalmente desaparecer. O véu é muito antigo; existia na Assíria há mais de três mil anos, quando havia dois tipos de mulheres: as esposas e viúvas respeitáveis, que tinham de usar véu, e as prostitutas e escravas que eram proibidas de usá-lo. O véu era uma espécie de parede de privacidade, a marca de que aquela mulher pertencia a um homem, uma arquitetura portátil de confinamento. Outros tipos de arquitetura menos portátil mantinham as mulheres confinadas à casa, à esfera do trabalho doméstico e à criação dos filhos – e, assim, fora da vida pública e incapazes de livre circulação. Em tantas e tantas sociedades as mulheres foram confinadas à casa como meio de controlar sua energia erótica, algo necessário num mundo patrilinear para que o pai pudesse saber quem eram seus filhos e construir sua própria linhagem, o pai gerando o filho, o filho gerando o neto. Nas sociedades matrilineares, esse tipo de controle não é tão essencial.

VI

Na Argentina, durante a "guerra suja" de 1976 a 1983, dizia-se que a junta militar "desaparecia" com as pessoas. Desapareciam dissidentes, militantes, esquerdistas, judeus, tanto homens como mulheres. Os marcados para desaparecer eram, se possível, sequestrados secretamente, de modo que nem mesmo as pessoas que os amavam ficavam sabendo do seu destino. De 15 mil a 30 mil argentinos foram assim erradicados. As pessoas pararam de falar com seus vizinhos e amigos, silenciados pelo medo de que qualquer coisa, qualquer pessoa, pudesse traí-los. Sua existência ia ficando cada vez mais tênue à medida que tentavam se proteger contra a inexistência. O verbo *desaparecer* se tornou substantivo, enquanto milhares e milhares de pessoas se tornavam *desaparecidas;* mas as pessoas que as amavam as conservavam vivas. As primeiras vozes contra esses desaparecimentos, as primeiras que venceram o medo, ousaram falar e ficaram visíveis, foram as vozes das mães. Eram *Las Madres de la Plaza de Mayo*, as mães dos desaparecidos, que começaram a aparecer num lugar que representava o próprio coração do país – em frente à Casa Rosada, o palácio do governo, na Plaza de Mayo, na capital Buenos Aires; e tendo aparecido, se recusaram a ir embora. Proibidas de sentar, puseram-se a caminhar. Mesmo atacadas, presas, interrogadas, forçadas a sair daquele lugar, o mais público dos lugares públicos, voltavam repetidas vezes para testemunhar abertamente sua tristeza, sua fúria e para exigir que seus filhos e netos lhes fossem devolvidos. Usavam na cabeça lenços brancos bordados com o nome dos filhos e a data do desaparecimento. O vínculo da maternidade era um vínculo emocional e biológico que os generais que então dominavam o país não podiam retratar como apenas esquerdismo ou algo criminoso. Era uma cobertura para um novo tipo de política, tal como foi para o grupo americano Women Strike for Peace [Mulheres em Greve pela Paz], fundado em 1961, à sombra da Guerra Fria, quando discordar ainda era retratado como algo sinistro, indício de comunismo. A maternidade e a respeitabilidade se tornaram a armadura, o traje, que essas mulheres usaram para atacar – em um caso, os generais argentinos; no outro, um programa de armas nucleares e a guerra em si. O papel que exerciam era um biombo por trás do qual elas tinham uma liberdade de movimentos limitada, num sistema no qual ninguém era verdadeiramente livre.

VII

Quando eu era jovem, houve estupros de mulheres no *campus* de uma grande universidade e a resposta das autoridades foi dizer a todas as alunas que não deviam sair sozinhas depois do escurecer, ou não sair nunca, de modo geral. Entrem em casa, já para dentro! (Para uma mulher, o confinamento está sempre à espera para envolvê-la.) Alguns brincalhões colocaram um cartaz anunciando outro remédio: que todos

os homens fossem excluídos do *campus* depois de escurecer.
Era uma solução igualmente lógica, mas os homens ficaram
chocados ao serem convidados a desaparecer, a perder sua
liberdade de ir e vir e de participar – tudo por causa da violência de um só homem. É fácil chamar de crimes os desaparecimentos da guerra suja na Argentina; mas como devemos
chamar os milênios de desaparecimento das mulheres – da
esfera pública, da genealogia, do *status* legal, da voz, da vida?
De acordo com o projeto Ferite a Morte [Feridas até a Mor-
te], organizado pela atriz italiana Serena Dandino e suas colegas, cerca de 66 mil mulheres são assassinadas anualmente
por homens em todo o mundo, nas circunstâncias específicas
que elas começaram a chamar de "feminicídio". Na sua
maioria são mortas pelo amante, o marido, o ex-parceiro,
que buscam a forma mais extrema de repressão, o modo der-
radeiro de apagar, silenciar, fazer alguém desaparecer. Com
frequência essas mortes vêm após anos, ou décadas, de terem
sido silenciadas e apagadas em casa, na vida diária, pelas
ameaças e pela violência. Algumas mulheres vão sendo apagadas aos poucos, outras de uma só vez. Algumas rea-
parecem. Toda mulher que aparece luta contra as forças
que desejam fazê-la desaparecer. Luta contra as forças que
querem contar a história dela no lugar dela, ou omiti-la da

história, da genealogia, dos direitos do homem, do estado de direito. A capacidade de contar sua própria história, em palavras ou imagens, já é uma vitória, já é uma revolta.

VIII

Pode-se contar tantas histórias sobre uma mulher pendurando roupas para secar – por vezes, pendurar roupas no varal é uma tarefa prazerosa, um desvio para a luz. Também é possível contar histórias de vários tipos sobre a misteriosa forma meio envolta num lençol no quadro de Ana Teresa Fernandez. Pendurar roupas para secar pode ser a mais sonhadora das tarefas domésticas, a que envolve o ar, o sol e o tempo que a água leva para evaporar das roupas limpas. Não é uma tarefa muito executada hoje em dia pelas privilegiadas, apesar de que é impossível saber se a mulher de sapatos pretos de salto alto é uma dona de casa ou uma empregada doméstica, ou uma deusa no fim do mundo, assim como é impossível determinar o significado de ela estar pendurando um lençol, embora me faça pensar numa série de associações envolvendo casos de obliteração – como um varal para secar roupas. Pendurar a roupa para secar ao ar livre sempre foi a maneira de secar tecidos até a invenção da secadora, e eu continuo pendurando minha roupa no varal. O mesmo fazem as imigrantes latinas e asiáticas em São Francisco, com suas roupas penduradas para secar nas janelas de Chinatown e nos quintais de Mission District, esvoaçando ao vento como bandeirinhas de oração. Que histórias contam os jeans desgastados, as roupinhas de criança, as roupas de baixo, a fronha listrada?

IX

Este São Francisco veste uma túnica branca tão grande e envolvente que vemos apenas duas mãos fortes, um pé e um rosto à sombra profunda do capuz. A luz vem da esquerda e lança as dobras pesadas do tecido, que deve ser lã, em profundas sombras e cordilheiras, e seus braços unidos para acalentar um crânio formam um círculo cujas profundas dobras de tecido se irradiam para fora. Seu homônimo, Francisco de Zurbarán, artista espanhol do século XVII, pintava repetidamente um pano branco em suas representações de santos, cascateando como uma cachoeira para esconder as formas de São Jerônimo, rodopiando em luz e sombra sobre São Serapião, com os braços erguidos como que se rendendo, esgotados, as correntes em torno dos seus pulsos segurando-o para não cair. O tecido gesticula, absorve, tem emoção; ele fala no lugar dessas figuras envoltas; substitui a sensualidade da carne por algo mais puro, mas não menos expressivo. O tecido esconde o corpo e também define o espaço, como o lençol no quadro de Ana Teresa Fernandez. É uma ocasião para o puro prazer da pintura, da luz e da sombra, e é uma fonte da luminosidade contra o fundo escuro desse pintor mais antigo. Eram as mulheres que fiavam e teciam a maior parte dos tecidos na época de Zurbarán, porém não pintavam. Vi uma exposição de obras de Zurbarán numa antiga cidade italiana com um belo teatro cujas paredes e tetos pintados me trouxeram à mente uma artista de São Francisco, a muralista Mona Caron. Embora as guirlandas e fitas lembrassem seu trabalho, na época poucas mulheres podiam pintar, fazer imagens em público, definir a maneira como vemos o mundo, ganhar a vida, fazer algo que poderíamos contemplar quinhentos anos depois. Na pintura de Fernández, o tecido branco com seus vincos e sombras expressivas é um lençol. Fala de casas, de camas, do que acontece nas camas e depois é lavado, fala de limpar a casa, do trabalho das mulheres. O quadro é sobre isso, mas não é isso que ele é. A mulher ali representada está obscurecida; mas a mulher que representa não está.

X

Tintas de várias cores foram espremidas para fora dos tubos, misturadas e aplicadas em um tecido esticado sobre uma moldura de madeira, de uma maneira tão artística que dizemos que vemos uma mulher pendurando um lençol, em vez de tinta óleo sobre uma tela. A imagem de Ana Teresa Fernandez nessa tela tem um metro e oitenta de altura, um metro e meio de largura – a figura é quase de tamanho natural. Embora sem título, a série a que pertence tem um título: *Telaraña* – Teia de Aranha. A teia de aranha do gênero e de história em que a mulher ali pintada foi apanhada; a teia de aranha do seu próprio poder, que ela está tecendo neste quadro dominado por um lençol que foi tecido. Hoje tecido por uma máquina, mas antes da Revolução Industrial tecido por mulheres, que ao fiar e tecer se conectavam às aranhas, e faziam com que as aranhas sempre fossem femininas nas histórias antigas. Aqui nesta parte do mundo, nas histórias da criação do mundo narradas pelos povos Hopi, Pueblo, Navajo, Choctaw e Cherokee, a Avó Aranha é a principal criadora do universo. Entre as histórias da Grécia antiga havia a de uma infeliz mulher que vivia a fiar e foi transformada numa aranha, bem como as poderosas Parcas, que fiavam, teciam e cortavam a linha da vida de cada pessoa, garantindo que aquelas vidas seriam narrativas lineares que teriam um fim.

As teias de aranha são imagens do não linear, das muitas direções em que algo pode ir, das muitas origens que algo pode ter; das avós, assim como das sequências de "este gerou aquele". Há uma pintura alemã do século XIX de mulheres trabalhando as plantas do linho, das quais se faz o tecido. Elas usam tamancos de madeira, vestidos escuros, toucas brancas recatadas e estão postadas a várias distâncias de uma parede, onde os feixes da matéria-prima vão sendo enrolados em novelos. De cada mulher sai um único fio que se estende pela sala, como se elas fossem aranhas, como se o fio saísse direto das suas barrigas. Ou como se elas estivessem presas à parede por aqueles fios finíssimos, invisíveis sob outros tipos de luz. Elas estão fiando, e estão presas na teia.

Tecer a teia e não ficar presa nela, criar o mundo, criar sua própria vida, governar seu destino, dar nome à sua avó assim como ao seu pai, desenhar redes e não apenas linhas retas, ser alguém que faz, não só alguém que limpa, poder cantar e não ser silenciada, tirar o véu e aparecer: é tudo isso que eu penduro no meu varal.

CAPÍTULO 6

A escuridão de Virginia Woolf

ACEITANDO O INEXPLICÁVEL

"*O futuro é a escuridão – e isso é a melhor coisa que o futuro pode ser, creio eu*", escreveu Virginia Woolf em seu diário em 18 de janeiro de 1915, quando tinha quase 33 anos de idade e a Primeira Guerra Mundial começava a se transformar num massacre catastrófico em escala sem precedentes, que haveria de continuar durante vários anos ainda. A Bélgica estava ocupada, o continente em guerra, muitas nações europeias também estavam invadindo outros lugares pelo mundo afora, o Canal do Panamá acabava de ser inaugurado, a economia norte-americana estava em péssima forma, 29 mil pessoas haviam morrido num terremoto na Itália, os zepelins estavam prestes a atacar Great Yarmouth, inaugurando a era do bombardeio aéreo contra a população civil, e os alemães estavam a apenas algumas semanas de usar gás venenoso, pela primeira vez, na Frente Ocidental. Virginia Woolf, porém, poderia estar escrevendo sobre o seu próprio futuro, e não sobre o futuro do mundo.

Haviam se passado menos de seis meses após um surto de loucura ou depressão que a tinha levado a uma tentativa de suicídio, e ela continuava sendo cuidada ou protegida por enfermeiras. Até então, de fato, sua loucura e a guerra haviam seguido um calendário semelhante, mas Woolf se recuperou e a guerra continuou em queda livre por mais quatro anos sangrentos. *"O futuro é a escuridão, e essa é a melhor coisa que o futuro pode ser, creio."* É uma declaração extraordinária, afirmando que o desconhecido não precisa ser transformado em conhecido por meio de falsas adivinhações ou da projeção de sinistras narrativas políticas ou ideológicas; é uma celebração da sombra, da escuridão, e disposta – como indica aquele *"creio eu"* – a ser incerta até mesmo quanto à sua própria afirmação.

A maioria das pessoas tem medo do escuro. Literalmente quando são crianças, enquanto muitos adultos temem, acima de tudo, a escuridão que é o desconhecido, o invisível, o obscuro. E, contudo, a noite, na qual não se pode fazer distinções e definições prontamente, é a mesma noite em que se faz amor, em que as coisas se fundem, se transformam, ficam encantadas, despertas, impregnadas, possuídas, liberadas, renovadas.

Quando comecei a escrever este ensaio, peguei um livro de Laurence Gonzalez sobre sobrevivência no deserto e encontrei esta frase reveladora: "O plano, uma lembrança do futuro, experimenta a realidade para ver se ela serve". Seu argumento é que quando as duas coisas parecem incompatíveis, nós muitas vezes nos apegamos ao plano, ignorando as advertências que a realidade nos apresenta, e assim despencamos de cabeça nos problemas. Com medo da escuridão do desconhecido, dos espaços onde só enxergamos vagamente, muitas vezes optamos pela escuridão dos olhos fechados, a escuridão da inconsciência. Gonzalez acrescenta: "Pesquisadores notam que as pessoas tendem a tomar qualquer informação como uma confirmação dos seus modelos mentais. Somos, por natureza, otimistas, se otimismo significa que acreditamos ver o mundo tal como ele é. E sob a influência de um plano, é fácil ver aquilo que queremos ver". É tarefa dos escritores e dos exploradores enxergar além, viajar com pouca bagagem quando se trata de preconceitos, entrar na escuridão de olhos abertos.

Nem todos eles aspiram a fazer isso, e nem todos conseguem. Na nossa época, a não ficção vem se aproximando sorrateiramente da ficção, de uma maneira que não é nada lisonjeira para a ficção – em parte porque muitos escritores não conseguem aceitar o fato de que o passado, tal como o futuro, está mergulhado na escuridão. Há tanta coisa que não sabemos, e escrever com veracidade sobre uma vida, seja a sua própria ou da sua mãe, ou de uma figura célebre, ou sobre um evento, uma crise, outra cultura implica se envolver repetidamente com essas áreas escuras, essas noites da História, esses lugares desconhecidos. Eles nos dizem que há limites para o conhecimento, que há mistérios essenciais, começando pela ideia de que sabemos exatamente o que alguém pensou ou sentiu, na ausência de informações exatas.

Muitas vezes não sabemos essas coisas nem quando se trata de nós mesmos, muito menos de alguém que pereceu numa época muito diferente da nossa, até nas suas texturas e nos seus reflexos. Preencher os espaços em branco substitui a verdade de que não conhecemos bem as coisas por um falso sentimento de que conhecemos. Sabemos menos quando pensamos, erroneamente, que sabemos algo do que quando reconhecemos que não sabemos. Às vezes penso que essa pretensão ao conhecimento autoritário é uma falha da linguagem: a linguagem das afirmações ousadas é mais simples, menos exigente do que a linguagem da nuance, da ambiguidade e da especulação. E nesse tipo de linguagem, Virginia Woolf não tem paralelos. Qual é o valor da escuridão, e de se aventurar no desconhecido? Virginia Woolf está presente em cinco dos meus livros publicados neste século: *Wanderlust* [Sede de Viajar], minha história da caminhada; *A Field Guide to Getting Lost* [Um Guia de Campo para se Perder], um livro sobre as utilidades do vagar e do desconhecido; *Inside Out* [De Dentro para Fora], focado nas fantasias sobre a casa e o lar; *The Faraway Nearby* [O Perto Longe], um livro sobre contar histórias, sobre empatia, doenças e conexões inesperadas; e *Hope in the Dark* [Esperança no Escuro], um livrinho que explora o poder popular e a maneira como as mudanças se desenrolam. Woolf tem sido para mim uma pedra de toque, uma das figuras de meu panteão, junto com Jorge Luis Borges, Isak Dinesen, George Orwell, Henry David Thoreau e alguns outros.

Até mesmo seu nome tem algo de selvagem. Os franceses chamam o crepúsculo da hora *"entre le chien et le loup"*, entre cão e lobo, e por certo ao se casar com um judeu na Inglaterra da sua época, Virginia Stephen decidiu ser um pouquinho selvagem, dar um passo um pouco além das convenções sociais da sua classe e da sua época.

É verdade que há muitas Virginias Woolfs – a minha tem sido um Virgílio a me guiar através das utilidades do vagar, do se perder, do anonimato, da imersão, da incerteza e do desconhecido. Transformei aquela sua frase sobre a escuridão no epigrama que guiou *Hope in the Dark*, meu livro de 2004 sobre política e possibilidade, escrito para combater o desespero após a invasão do Iraque pelo governo Bush.

OLHAR, DESVIAR O OLHAR, OLHAR DE NOVO

Comecei meu livro com aquela frase sobre a escuridão. Susan Sontag, ensaísta e crítica cultural cuja Virginia Woolf não é exatamente a minha Virginia Woolf, abriu seu livro de 2003 sobre empatia e fotografia, *Regarding the Pain of Others* [Sobre a Dor dos Outros], com uma citação de Woolf de uma fase posterior. Ela começa assim: "Em junho de 1938, Virginia Woolf publicou *Three Guineas* [Três Guinéus], suas reflexões corajosas e nada bem recebidas sobre as raízes da guerra". Sontag continua examinando a recusa de Woolf de assumir aquele "nós" na pergunta que motiva o livro: "Como nós poderíamos, na sua opinião, impedir a guerra?" – pergunta que ela responde com esta afirmação: "Como mulher, eu não tenho pátria".

Sontag então debate com Woolf sobre esse "nós", sobre a fotografia, sobre a possibilidade de impedir a guerra. Ela argumenta com respeito, com a consciência de que as circunstâncias históricas mudaram radicalmente (incluindo o *status* marginalizado das mulheres), contra o pensamento utópico da era de Woolf que imaginava um fim total para as guerras. Ela não debate apenas com Woolf; debate também consigo mesma, rejeitando seu argumento anterior, colocado em seu livro fundamental, *On Photography* [Sobre a Fotografia], de que nós nos tornamos insensíveis para as imagens de atrocidades, e especulando sobre como devemos continuar a olhar. Pois as atrocidades não acabam, e de algum modo devemos nos envolver com elas.

Sontag termina seu livro com reflexões sobre os que estão no meio de uma guerra, como as guerras no Iraque e no Afeganistão. Escreve ela sobre as pessoas na guerra: *"'Nós' – e esse 'nós' somos todos que nunca experimentaram nada parecido com o que eles experimentaram – nós não compreendemos. Não captamos. Realmente não conseguimos imaginar como era. Não conseguimos imaginar como é terrível a guerra, como é aterrorizante; e como ela acaba se tornando normal. Não conseguimos compreender, não conseguimos imaginar"*.

Sontag também nos convida a aceitar a escuridão, o desconhecido, a impossibilidade de conhecer, a não deixar que a torrente de imagens despejada sobre nós consiga nos convencer de que nós compreendemos, ou nos deixe insensíveis ao sofrimento. Ela argumenta que o conhecimento pode nos deixar entorpecidos, assim como despertar sentimentos. Mas ela não imagina que as contradições possam ser eliminadas; ela nos dá permissão para continuar olhando as fotos; ela concede às pessoas fotografadas o direito de que seja reconhecida a impossibilidade de se conhecer a sua experiência. E ela mesma reconhece que, embora não possamos compreender inteiramente, podemos dar valor e importância a tudo isso.

Sontag não aborda nossa incapacidade de responder a sofrimentos inteiramente invisíveis, pois mesmo nesta era de solicitações diárias por e-mail sobre perdas e atrocidades, e de documentação amadora e profissional de guerras e crises, muita coisa continua invisível. E os governos fazem grandes esforços para esconder os corpos, os prisioneiros, os crimes e a corrupção: e mesmo assim, mesmo agora, alguém pode se interessar e dar valor e importância a isso tudo.

Sontag, que iniciou sua carreira pública com um ensaio intitulado "Against Interpretation" [Contra a Interpretação], também celebrou, ela própria, o indeterminado. Ao abrir esse ensaio ela escreve: "A experiência mais antiga da arte deve ter sido o fato de ser encantatória, mágica..." Mais adiante ela acrescenta: "Hoje estamos num momento em que o projeto de interpretação é, de modo geral, reativo, sufocante. É a vingança do intelecto sobre o mundo. Interpretar é empobrecer". E, é claro, ela partiu então para uma vida de interpretação que, em seus grandes momentos, se uniu a Woolf na sua resistência aos compartimentos estanques, às simplificações excessivas e às conclusões fáceis.

Eu debati com Sontag do mesmo modo como ela debate com Woolf. Na verdade, quando a conheci pessoalmente debati com ela sobre a escuridão e, para minha surpresa, não perdi a discussão. Se você ler sua última coleção de ensaios, *At the Same Time: Essays and Speeches* [Ao Mesmo Tempo: Ensaios e Discursos], publicada postumamente, encontrará um pequeno parágrafo com minhas ideias e exemplos, interpolado em seu ensaio como um carrapicho grudado na sua meia. Sontag estava escrevendo seu discurso de abertura para o Prêmio Oscar Romero, na primavera de 2003, quando a guerra do Iraque estourou. (O prêmio foi para Ishai Menuchin, presidente do comitê de recusa seletiva do serviço militar em Israel.)

Sontag tinha cerca de 9 anos quando Virginia Woolf morreu. Eu a visitei em Nova York quando ela tinha 70 anos, em seu apartamento de cobertura no bairro de Chelsea, Nova York, com vista para as costas de uma gárgula e na mesa uma pilha de páginas impressas com fragmentos do discurso. Eu os li enquanto bebia um chá de dente-de-leão que desconfio que estava guardado no armário havia décadas, a única alternativa ao café expresso naquela cozinha. Ela argumentava que deveríamos resistir por princípio, mesmo que fosse inútil. Eu tinha apenas começado a tentar defender a causa da esperança no meu novo livro, e argumentei que não podemos saber se nossas ações são inúteis; que ninguém tem a memória do futuro; que o futuro é, de fato, escuro, o que é a melhor coisa que ele poderia ser; e que, no final, sempre agimos no escuro. Os efeitos das nossas ações podem se desdobrar de maneiras impossíveis de prever, ou mesmo de imaginar. E podem se desdobrar muito depois da nossa morte. É aí que as palavras de tantos escritores ressoam com mais força.

Aqui estamos, afinal, revisitando as palavras de uma mulher que morreu há três quartos de século e que, no entanto, continua viva, em algum sentido, na imaginação de tantas pessoas, continua sendo parte da conversa, uma influência, um agente. No discurso de resistência de Sontag publicado no blog TomDispatch, naquela primavera de 2003 e em *At the Same Time* [Ao Mesmo Tempo], alguns anos depois, há um parágrafo em que Sontag se refere à influência póstuma de Thoreau e à Área de Testes de Nevada (lugar onde já foram detonadas mais de mil bombas nucleares e onde, por vários anos, desde 1988, participei de grandes atos de desobediência civil contra a corrida armamentista nuclear). Esse mesmo exemplo acabou em *Hope in the Dark* [Esperança no Escuro]: nós, os militantes antinucleares, não conseguimos fechar, na realidade, a Área de Testes de Nevada, nosso objetivo mais evidente; porém inspiramos o povo do Cazaquistão a fechar o chamado Polígono, um campo de testes nucleares soviéticos em seu país, em 1990. Totalmente imprevisto, totalmente imprevisível.

Aprendi tanto com a Área de Testes e com os outros lugares sobre os quais escrevi em meu livro *Savage Dreams: The Landscape Wars of the American West* [Sonhos Selvagens: As Guerras da Paisagem do Oeste Americano], sobre o longo arco da história, sobre as consequências imprevistas, os impactos tardios. A Área de Testes como um lugar de grande convergência e colisão – e o exemplo de autoras como Sontag e Woolf – me ensinaram a escrever. E então, anos mais tarde, Sontag escreveu seu comentário sobre agir com base em seus princípios e nele salpicou meus exemplos daquela conversa na cozinha e alguns detalhes que anotei. Foi um pequeno impacto que eu nunca poderia imaginar que aconteceria, e ocorreu num ano em que nós duas estávamos invocando Virginia Woolf. Os princípios que nós duas adotamos nos livros que a citavam poderiam ser chamados de princípios woolfianos.

DUAS CAMINHADAS DE INVERNO

Para mim, as razões para a esperança são, simplesmente, dois fatos: não sabemos o que vai acontecer a seguir, e o improvável e o inimaginável se manifestam com bastante regularidade. E a história não oficial do mundo mostra que indivíduos dedicados e movimentos populares são capazes de mudar o curso da história, como já aconteceu – apesar de que como e quando nós poderíamos vencer, e daqui a quanto tempo, são coisas impossíveis de se prever.

O desespero é uma forma de certeza – a certeza de que o futuro será muito parecido com o presente, ou vai declinar a partir dele; o desespero é uma lembrança confiante do futuro, na frase altissonante de Gonzalez. O otimismo também tem confiança no que vai acontecer. Ambos são motivos para não agir. A esperança pode se resumir em saber que não temos essa lembrança do futuro e que a realidade não corresponde, necessariamente, aos nossos planos; a esperança, tal como a criatividade, pode vir daquilo que o poeta romântico John Keats chamou de Capacidade Negativa.

Em 1817, numa noite em pleno inverno, um pouco mais de um século antes da anotação de Woolf em seu diário sobre a escuridão, o poeta John Keats ia caminhando para casa conversando com alguns amigos e, como escreveu numa célebre carta sobre essa caminhada: "Várias coisas se encaixaram na minha mente, e percebi de um só golpe qual a qualidade necessária para formar um Homem de Realizações, especialmente na Literatura. [...] Refiro-me à Capacidade Negativa, isto é, quando um homem é capaz de ficar em meio a incertezas, mistérios, dúvidas, sem buscar irritadamente os fatos e a razão".

Pensar em Keats caminhando, conversando e sentindo diversas coisas se encaixarem em sua mente sugere que perambular a pé pode levar ao perambular da imaginação – e a um entendimento que é a própria criação, e que torna a introspecção uma atividade para se praticar ao ar livre. Em seu livro de memórias *A Sketch of the Past* [Um Esboço do Passado], Woolf escreve: "Assim, certo dia, caminhando em torno da praça Tavistock eu criei, como às vezes crio meus livros, *To the Lighthouse* [Ao Farol] – numa grande pressa, aparentemente involuntária. Uma coisa estourando na outra. Soprar bolhas de sabão pode dar a sensação da multidão de ideias e de cenas que minha mente lançava em alta velocidade, de modo que meus lábios pareciam formar as sílabas por conta própria enquanto eu caminhava. O que foi que soprou essas bolhas? E por que naquele momento? Não faço ideia". Uma parte do gênio de Woolf, me parece, é justamente esse não ter noção, essa capacidade negativa. Certa vez ouvi falar de um botânico no Havaí com muita habilidade para encontrar novas espécies. Seu método era se perder na mata, ir além de tudo que sabia e de como sabia, deixar a experiência ser maior do que seus conhecimentos, escolher a realidade em vez do plano. Woolf não só utilizou como também enalteceu os meandros imprevisíveis, tanto da mente como dos pés. Seu famoso ensaio de 1930, "Street Haunting: A London Adventure" [Perambulando pelas Ruas de Londres, Uma Aventura, em tradução livre], tem o tom leve e animado de muitos dos seus primeiros escritos; e mesmo assim, é uma viagem profunda pela escuridão.

O ensaio lança mão de uma excursão, ficcionalizada ou inventada, para comprar um lápis no crepúsculo londrino de inverno, como desculpa para explorar a escuridão, o vagar sem rumo, a invenção, a aniquilação da identidade, a enorme aventura que transpira na mente enquanto o corpo percorre um trajeto cotidiano. "O fim da tarde também nos dá a irresponsabilidade que a escuridão e a luz das lâmpadas conferem", escreve ela. "Já não somos nós mesmos. Quando saímos de casa num belo fim de tarde, entre quatro e seis, descartamos aquele eu que nossos amigos conhecem e nos tornamos parte desse vasto exército republicano de andarilhos anônimos, cuja companhia é tão agradável após a solidão do nosso quarto." Aqui ela descreve uma forma de companhia que não impõe uma identidade, mas a liberta – a companhia dos estranhos, a república das ruas, a experiência de ser anônimo e livre que a cidade grande inventou.

Retrata-se com frequência a introspecção como algo solitário, para se fazer dentro de casa – o monge na sua cela, a escritora à sua mesa. Woolf discorda, dizendo sobre a casa: "Pois ali nós nos sentamos cercados por objetos que impõem as lembranças da nossa própria experiência". Ela descreve os objetos e depois afirma: "Mas quando a porta se fecha atrás de nós, tudo isso desaparece. O envoltório, tal como uma concha que nossa alma excretou para se abrigar, para elaborar para si uma forma distinta das outras, se quebra, e o que resta de todas essas rugosidades e asperezas é uma pérola central de percepção, um enorme olho. Como é bela uma rua no inverno!"

O ensaio acabou se introduzindo na minha história do caminhar, *Wanderlust*, que é também uma história da perambulação e da mente em movimento. A concha do lar é uma espécie de prisão, além de proteção, um invólucro de familiaridade e continuidade que pode desaparecer lá fora.

Caminhar pelas ruas pode ser uma forma de envolvimento social, até mesmo de ação política quando caminhamos juntos coordenadamente, como fazemos nas revoltas, nas manifestações e revoluções; mas também pode ser um meio de induzir o devaneio, a subjetividade e a imaginação, uma espécie de dueto entre os estímulos e interrupções do mundo exterior e o fluxo de imagens e desejos (e temores) que vem de dentro. Às vezes, pensar é uma atividade ao ar livre, e uma atividade física.

Nessas circunstâncias, muitas vezes é uma leve distração que impele a imaginação, e não a concentração ininterrupta. O pensamento funciona, então, de uma maneira indireta, astuta, passeando por caminhos sinuosos até chegar a lugares que não consegue alcançar diretamente. Em "Street Haunting", as viagens da imaginação podem ser puramente recreativas, mas foram esses meandros que permitiram a Woolf conceber a forma de *Ao Farol*, e fizeram avançar seu trabalho criativo de uma maneira que sentar à escrivaninha não faria.

As maneiras como o trabalho criativo se realiza são sempre imprevisíveis, exigindo espaço para vagar a esmo, recusando horários e sistemas. Não podem ser reduzidas a fórmulas replicáveis. O espaço público, o espaço urbano, que em outras ocasiões serve aos propósitos do cidadão, do membro da sociedade que entra em contato com outros membros da sociedade, é aqui o espaço onde podemos desaparecer, nos soltar dos laços e vínculos da identidade individual. Woolf comemora o perder-se – não literalmente, sem saber como encontrar o caminho, mas ficar perdido no sentido de aberto para o desconhecido, e para a maneira como o espaço físico pode nos oferecer um espaço psíquico. Ela escreve sobre devanear, sonhar acordado, ou talvez sonhar em pleno dia, em plena tarde, imaginar como seria estar em outro lugar, ser outra pessoa. Em "Street Haunting", Woolf se pergunta sobre a própria identidade:

> Ou será o verdadeiro eu nem isto nem aquilo, nem aqui nem acolá, mas algo tão variado, errante, sinuoso, que é apenas quando damos rédea solta aos seus desejos e deixamos que tome seu caminho sem impedimentos – é somente aí que realmente somos nós mesmos? As circunstâncias obrigam a unidade; por motivos de conveniência, o homem deve ser um todo completo. O bom cidadão, ao abrir sua porta à noite, deve ser um banqueiro, jogador de golfe, marido, pai; não um nômade vagueando

pelo deserto, um místico fitando o céu, um libertino nas favelas de São Francisco, um soldado comandando uma revolução, um pária uivando com ceticismo e solidão.

Mas ele é todos esses outros, diz ela, e as restrições que limitam o que ele pode ser não são restrições que ela traça para si mesma.

PRINCÍPIOS DA INCERTEZA

Woolf pede uma versão mais introspectiva do "Eu contenho multidões" do poeta Walt Whitman, uma versão mais diáfana do "Eu sou outro" do poeta Arthur Rimbaud. Ela pede circunstâncias que não imponham uma identidade única, que é uma limitação ou mesmo uma repressão. Costuma-se notar que ela faz isso com os personagens de seus romances; mas também exemplifica essa atitude em seus ensaios, na voz investigativa, crítica que celebra e expande, e exige essa atitude em sua insistência na multiplicidade, na irredutibilidade e talvez no mistério – se o mistério é a capacidade de alguma coisa de continuar sempre se transformando, de ir além, de ser indelimitável, de conter mais e mais.

Muitos ensaios de Woolf são manifestos e também exemplos ou investigações sobre essa consciência não confinada, esse princípio da incerteza. Também são modelos de uma contracrítica, pois muitas vezes julgamos que o propósito da crítica é definir as coisas fixamente, como quem bate um prego. Nos anos em que eu escrevia crítica de arte, costumava dizer, brincando, que os museus amam os artistas da mesma forma como os taxidermistas amam os cervos; e algo desse desejo de fixar, estabilizar, tornar certa e bem definida a obra aberta do artista, seu trabalho nebuloso e audacioso, está presente em muitos que trabalham nesse confinamento chamado vez ou outra de mundo da arte.

Uma agressão semelhante contra o aspecto escorregadio da obra e as ambiguidades da intenção e do significado do artista também existe na crítica literária e na pesquisa acadêmica – o desejo de tornar certo o que é incerto, de saber o que é impossível saber, de transformar aquilo que voa pelo céu naquilo que vem assado no prato, o desejo de classificar e de conter. O que escapa à categorização pode escapar completamente à detecção.

Há uma espécie de contracrítica que busca expandir a obra de arte, conectando-a, abrindo seus significados, convidando as possibilidades para entrar. Uma grande obra de crítica pode libertar uma obra de arte, para que seja vista plenamente, para que permaneça viva, para se envolver numa conversa que não vai acabar nunca, mas continuará alimentando a imaginação. Não contra a interpretação, mas contra o confinamento, contra o assassinato do espírito. Essa crítica é, ela própria, grande arte.

É um tipo de crítica que não coloca o crítico contra o texto, não busca autoridade. Busca, em vez disso, viajar com a obra e suas ideias, convidá-la a florescer e convidar outras obras para participar de uma conversa que antes poderia parecer impenetrável, traçar relações que poderiam ficar invisíveis e abrir portas que poderiam ficar trancadas. Um tipo de crítica que respeita o mistério essencial de uma obra de arte: sua beleza e seu prazer, duas coisas irredutíveis e subjetivas. A pior crítica quer ter a última palavra e deixar os demais em silêncio; a melhor crítica abre as portas para um intercâmbio que não termina, nem tem por que terminar, nunca.

LIBERTAÇÕES

Woolf liberta o texto, a imaginação, o personagem de ficção, e então exige essa liberdade para nós mesmos, particularmente para as mulheres. Isso vai dar no âmago daquela Virginia Woolf que tem sido mais exemplar para mim: ela está sempre comemorando uma libertação que não é oficial, institucional, racional, mas sim uma questão de ir além da esfera do familiar, do seguro, do conhecido, e passar para o mundo mais amplo que há lá fora. Suas exigências de libertação para as mulheres não visavam apenas que elas também pudessem fazer algumas coisas institucionais que os homens fazem (e que as mulheres agora também fazem), mas sim que elas pudessem ter plena liberdade para perambular por aí sem rumo, tanto na geografia como na imaginação.

Ela reconhece que isso exige várias formas práticas de liberdade e de poder – reconhece em *A Room of One's Own* [Um Quarto Todo Seu], muitas vezes lembrado como um argumento em favor de ter um quarto e uma renda mensal, embora o livro também exija universidades e o mundo inteiro, por meio da maravilhosa e infeliz história de Judith Shakespeare, a malsinada irmã do dramaturgo: "Ela não conseguiria nenhum treinamento para o seu ofício. Será que poderia, pelo menos, jantar numa taverna ou perambular pelas ruas à meia-noite?" Jantar numa taverna, ruas à meia-noite, a liberdade da cidade grande – eis elementos cruciais da liberdade, não para se definir uma identidade, mas sim para perdê-la. Talvez o protagonista do seu romance *Orlando*, que vive durante séculos, deslizando de um gênero para o outro, encarne o ideal de Woolf da liberdade absoluta de vagar por aí – na consciência, na identidade, no romance e no lugar.

A questão da libertação aparece de outra maneira na sua palestra "Profissões para Mulheres", que descreve com deliciosa ferocidade o assassinato do "Anjo do Lar", a mulher ideal que satisfaz as necessidades e expectativas de todos os outros, mas não as dela:

> Fiz tudo o que podia para matá-la. Minha desculpa, se eu tivesse que me apresentar num tribunal de justiça, seria que agi em legítima defesa. [...] Matar o Anjo do Lar fazia parte da ocupação de uma escritora. Agora o Anjo estava morto; o que restava, então? Podemos dizer que o que restou foi algo simples e comum – uma jovem num quarto, com um tinteiro. Em outras palavras, agora que ela já se livrara da falsidade, aquela jovem precisava apenas ser ela mesma. Ah, mas o que é "ela mesma"? Isto é: o que é uma mulher? Eu lhe garanto que não sei. E não creio que você saiba.

Nessa altura você já notou que Woolf diz "não sei" com muita frequência. "Matar o Anjo do Lar", diz ela mais adiante, "creio que isso já resolvi. Ela morreu. Mas a segunda questão, dizer a verdade sobre minhas próprias experiências enquanto corpo, não creio que eu tenha resolvido. Duvido que qualquer mulher tenha resolvido até hoje. Os obstáculos contra ela ainda são imensamente poderosos – e contudo, muito difíceis de definir". Esse é o maravilhoso tom de Woolf, uma graciosa não conformidade; e dizer que a sua verdade deve ser corporal é, em si mesmo, algo radical, a ponto de ser quase inimaginável antes que ela o dissesse. A questão do corpo aparece na sua obra de forma muito mais decorosa do que, digamos, na de Joyce, porém aparece. E embora ela investigue as formas de se conseguir o poder, é tipicamente woolfiano que, no seu ensaio "On Being Ill" [Sobre Estar Doente], até mesmo a impotência de uma doença pode ser libertadora, quando se percebe o que as pessoas saudáveis não percebem, quando se lê um texto com novos olhos, quando se passa por uma transformação. Toda a obra de Woolf, tal como a conheço, constitui uma espécie de *Metamorfose* de Ovídio, em que a liberdade procurada é a liberdade de continuar se transformando, explorando, vagando sem rumo, indo além. Ela domina a arte da fuga.

Ao pedir certas mudanças sociais específicas, Woolf é uma revolucionária. (E, naturalmente, ela tinha as falhas e os pontos cegos da sua classe, do seu lugar e do seu tempo. Ela enxergou além deles em alguns aspectos, mas não em todos. Nós também temos pontos cegos, que as gerações futuras podem, ou não, condenar em nós.) Mas seu ideal é o ideal de uma libertação que também deve ser interna, emocional, intelectual.

Minha tarefa, nos últimos vinte anos, mais ou menos, em que vivi das palavras, é tentar encontrar, ou fazer, uma linguagem para descrever as sutilezas, os incalculáveis, os prazeres e os significados – impossíveis de categorizar – que estão no cerne das coisas. Meu amigo Chip Ward fala sobre "a tirania do quantificável", ou seja, tudo que pode ser medido sempre tem precedência sobre o que não é mensurável: o lucro privado sobre o bem público; a velocidade e a eficiência sobre o prazer e a qualidade; o utilitário sobre os mistérios e significados que são mais úteis para a nossa sobrevivência – e para mais que a nossa sobrevivência, para vidas que tenham algum propósito e valor, e que sobrevivam para além de nós a fim de construir uma civilização que valha a pena existir.

A tirania do quantificável é, em parte, a incapacidade da linguagem e do discurso de descrever fenômenos mais complexos, sutis e fluidos, bem como a incapacidade dos que moldam opiniões e tomam decisões de compreender e valorizar essas coisas mais escorregadias. É difícil, por vezes até impossível, valorizar o que não pode ser nomeado nem descrito; assim, a tarefa de nomear e descrever é essencial em qualquer revolta contra o *status quo* do capitalismo e do consumismo. Em última análise, a destruição da Terra se deve, em parte – talvez em grande parte –, ao fracasso da imaginação, ou ao eclipse da imaginação, forjado por sistemas de contabilidade incapazes de avaliar o que realmente importa. A revolta contra essa destruição é uma revolta da imaginação em favor das sutilezas, dos prazeres que o dinheiro não pode comprar e as empresas não podem monopolizar, em favor de sermos produtores, e não consumidores de significado, em favor do lento, do sinuoso, das digressões, do exploratório, do intangível, do incerto.

Quero terminar com uma passagem de Woolf que minha amiga, a pintora May Stevens, me enviou depois de copiá-la por cima de um quadro seu, um trecho de uma passagem que chegou até meu livro *A Field Guide to Getting Lost*. Nas pinturas de May, as longas frases de Woolf são manuscritas de modo a fluir como a água, tornam-se uma força elementar na qual todos nós somos arrastados e levados à tona. Em *Ao Farol*, Woolf escreveu:

> Pois no momento ela não precisava pensar em ninguém. Podia ser ela mesma, sozinha consigo mesma. E era disso que ela agora sentia necessidade com tanta frequência – necessidade de pensar; bem, nem sequer de pensar. De estar em silêncio; de estar sozinha. Todo o ser e todo o

fazer, expansivo, cintilante, vocal, se evaporava; e a pessoa se encolhia, com um sentido de solenidade, reduzida a ser ela mesma, um núcleo de escuridão em forma de cunha, algo invisível para os outros. Embora continuasse a tricotar, sentada com as costas eretas, era assim que ela se sentia; e esse eu que havia descartado seus vínculos estava livre para viver as mais estranhas aventuras. Quando a vida mergulhava fundo por um momento, o leque das experiências parecia ilimitado. [...] Lá embaixo tudo é escuro, tudo está se alastrando, tudo é insondavelmente profundo; mas de quando em quando subimos à superfície e é isso que você enxerga quando nos vê. Seu horizonte lhe parecia agora ilimitado.

Woolf nos deu o ilimitado, o impossível de captar, o urgente para abraçar, tão fluido como a água, infinito como o desejo, uma bússola para quem quer se perder.

CAPÍTULO 7

A síndrome de Cassandra

A história de Cassandra, a mulher que disse a verdade, mas ninguém acreditou, não está tão inserida na nossa cultura quanto a do menino que gritava "Lobo!" – ou seja, o menino em quem as pessoas acreditaram nas primeiras vezes em que ele mentiu sobre um ataque do lobo. Mas talvez devesse estar igualmente inserida. Cassandra, a linda irmã de Hector e Paris, foi amaldiçoada com o dom de fazer profecias exatas às quais ninguém dava atenção; sua família a julgava louca e mentirosa e, segundo alguns relatos, a trancafiou, até que Agamenon a transformou numa escrava sexual e ela foi assassinada por acaso, junto com ele.

Estive pensando em Cassandra enquanto navegamos pelas águas agitadas das guerras dos sexos, porque a credibilidade é um poder fundamental nessas guerras e porque se afirma tantas vezes que as mulheres são categoricamente carentes nesse departamento.

Não é incomum, quando uma mulher diz algo que contesta um homem, em especial um homem poderoso ou muito proeminente na sociedade (não um homem negro, a menos que ele tenha acabado de ser nomeado para a Suprema Corte por um presidente republicano), ou uma instituição, especialmente se tem a ver com sexo, a reação vai questionar não apenas os fatos que a mulher afirma, mas também a sua capacidade de falar e seu direito de falar. Gerações de mulheres já foram chamadas de delirantes, confusas, manipuladoras, malévolas, conspiratórias, congenitamente desonestas, e muitas vezes tudo isso de uma só vez: seria a síndrome de Cassandra, como poderíamos chamá-la.

O que me interessa, em parte, é esse impulso raivoso de descartar, desconsiderar, e com que frequência ele desliza quase exatamente para essa mesma incoerência ou histeria de que as mulheres são tão acusadas. Seria tão bom se, por exemplo, Rush Limbaugh ao atacar Sandra Fluke* por seu testemunho sobre a necessidade de fundos para o acesso a contraceptivos, chamando-a de vagabunda e prostituta e, aparentemente, sem compreensão alguma sobre como contraceptivos funcionam, seria tão bom se Limbaugh, o rei da mixórdia de palavras, alheio aos fatos, eternamente irritado, fosse chamado de histérico de vez em quando. Mas o adjetivo sempre é usado com a flexão de gênero: "histérica".

Rachel Carson foi tachada de histérica pelo seu livro histórico sobre o perigo dos pesticidas, *Silent Spring* [Primavera Silenciosa]. Carson elaborou um livro cuja pesquisa maciça, com as respectivas notas de rodapé, era inatacável, e cujo argumento hoje é considerado profético. Mas as fábricas de produtos químicos não ficaram felizes, e para Carson o fato de ser mulher era, por assim dizer, seu calcanhar de aquiles. Poderíamos chamá-la de Cassandra da ecologia. No dia 14 de outubro de 1962, o jornal *Tucson Arizona Star* publicou uma resenha do livro com a manchete "Silent Spring Makes

---

* No início de 2012, Rush Limbaugh, comentarista político conservador e âncora de um programa de rádio transmitido em rede nacional, atacou Sandra Fluke, advogada e ativista feminista, após ela testemunhar diante de uma comissão parlamentar sobre a necessidade de exigir que planos de saúde cubram os custos de contraceptivos. Limbaugh foi repreendido por políticos republicanos e democratas e perdeu vários patrocínios para o seu programa de rádio e, pressionado, pediu desculpas – que Fluke não aceitou. (N.R.)

Protest Too Hysterical" [A Primavera Silenciosa Torna os Protestos Demasiado Histéricos]. Naquele mês – num artigo que garantia aos leitores que os pesticidas eram inteiramente inofensivos para os seres humanos – a revista *Time* chamou o livro de Carson de "injusto, unilateral e histericamente superenfático". "Muitos cientistas simpatizam com o apego místico da senhorita Carson ao equilíbrio da natureza", reconhecia a resenha. "Mas eles temem que a explosão emocional e inexata da autora possa causar danos." Em tempo: Carson *era* uma cientista.

DISCURSO FRATURADO E CHALEIRAS QUEBRADAS

Histeria é uma palavra cuja raiz vem da palavra grega para "útero"; pensava-se ser causada por um útero deslocado; os homens estavam categoricamente isentos dessa condição ou doença, que hoje significa apenas ser incoerente, estar muito estressado, e talvez confuso. No final do século XIX, as mulheres eram rotineiramente diagnosticadas como histéricas. As mulheres assim descritas, cuja agonia foi exposta pelo professor de Sigmund Freud, Jean-Martin Charcot, parecem, em alguns casos, ter sofrido abuso, o trauma daí resultante e a incapacidade de expressar a causa.

O jovem Freud teve uma série de pacientes mulheres cujo problema parecia provir de abuso sexual na infância. O que elas diziam era indizível, literalmente: até hoje os traumas mais severos da guerra e da vida doméstica violam a tal ponto os costumes sociais e a psique da vítima que são excruciantes para se articular ou até mesmo para se escavar dos cantos escuros da mente, onde costumam ficar enterrados. A violência sexual, como a tortura, é um ataque ao direito da vítima à sua integridade física e à sua autodeterminação e expressão. É algo que aniquila, silencia. Por ter sido silenciada, a vítima é chamada a falar – chamada pela lei e pela psicanálise, a cura pela fala.

Contar a história e saber que a história e a narradora são reconhecidas e respeitadas ainda é um dos melhores métodos que temos de superar o trauma. As pacientes de Freud, surpreendentemente, encontraram o caminho para contar o que haviam sofrido, e no início ele as ouviu. Escreve ele em 1896: "Por isso expus a tese de que, no fundo de cada caso de histeria, há uma ou mais ocorrências de *experiência sexual prematura*..." Em outro texto, Freud escreveu a um colega que, se acreditasse nas suas pacientes, "em todos os casos, *o pai*, não excluindo o meu, teria que ser acusado de ser perverso".

E posteriormente, ele repudiou suas descobertas. Como disse a psiquiatra feminista Judith Herman em seu livro *Trauma and Recovery* [Trauma e Recuperação], "Sua correspondência deixa claro que ele estava cada vez mais preocupado com as implicações sociais radicais da sua hipótese. Diante desse dilema, Freud parou de ouvir suas pacientes". Se elas estavam dizendo a verdade, ele teria que desafiar todo o edifício da autoridade patriarcal para lhes ajudar. Mais tarde, acrescenta ela, "Com uma persistência teimosa que o levou a fazer convoluções cada vez maiores na sua teoria, ele insistiu que as mulheres imaginavam e desejavam aqueles encontros sexuais abusivos dos quais se queixavam". Era como se fosse construído um álibi conveniente para todas as autoridades transgressoras, todos os homens perpetradores de crimes contra mulheres. Ela queria isso. Ela imaginou isso. Ela não sabe o que está dizendo. Essas referências continuam conosco. "Ela é louca" é o eufemismo padrão para "Eu estou desconfortável com o que ela está dizendo".

O silêncio, como o inferno de Dante, tem seus círculos concêntricos. Primeiro vêm as inibições internas, as dúvidas, as repressões, as confusões e a vergonha, que tornam difícil ou impossível falar, juntamente com o medo de ser punida ou condenada ao ostracismo por falar. Susan Brison, agora chefe do departamento de Filosofia da Universidade de

Dartmouth, foi estuprada em 1990 por um homem, um estranho, que a chamou de prostituta e lhe disse para calar a boca, passando então a estrangulá-la repetidas vezes, golpeando-lhe a cabeça com uma pedra e deixando-a quase morta. Ela sobreviveu, mas encontrou vários problemas quando quis falar a respeito. "Uma coisa é ter decidido falar e escrever sobre meu estupro, mas outra coisa é encontrar a voz para fazê-lo. Mesmo depois que minha traqueia fraturada sarou, tive muitos problemas para falar. Não cheguei a ficar inteiramente muda, mas tinha muitos episódios do que uma amiga chamava de 'discurso fraturado', quando eu gaguejava e hesitava, incapaz de formar uma frase simples sem que as palavras se dispersassem como contas de um colar arrebentado."

Em torno desse círculo estão as forças que tentam silenciar a mulher que fala mesmo assim, seja por humilhação, intimidação ou violência direta, chegando inclusive ao assassinato. Finalmente, no círculo mais externo, quando a história já foi contada e a narradora não foi silenciada diretamente, a história e a narradora são desacreditadas. Nesta zona, poderíamos dizer que a breve época em que Freud ouvia suas pacientes com a mente aberta foi uma falsa aurora. Pois é especialmente quando as mulheres falam sobre transgressões sexuais que seu direito de falar e a sua capacidade de falar passam a sofrer ataques. Parece quase um reflexo neste momento, e decerto existe aí um padrão geral muito claro, um comportamento típico que tem uma história. Esse padrão foi desafiado de frente pela primeira vez nos anos 1980. Nestas alturas já ouvimos falar demais sobre os anos 1960, mas as mudanças revolucionárias dos anos 1980 são mais negligenciadas e esquecidas – mudanças que derrubaram regimes no mundo todo, assim como mudanças realizadas no quarto de dormir, na sala de aula, no local de trabalho, nas ruas e até mesmo na organização política (com o surgimento do consenso inspirado pelas feministas e de outras técnicas que vão contra a hierarquia e a autoridade). Foi uma época explosiva. O feminismo dessa época é muito rejeitado como um movimento severamente antissexo porque ele apontou que o sexo também é uma arena de poder e que o poder pode ser abusado, e descreveu a natureza de alguns desses abusos.

As feministas não só pressionaram em favor de novas leis, mas a partir de meados dos anos 1970 elas definiram e nomearam categorias inteiras de violações que ainda não tinham sido reconhecidas. Ao fazer isso elas anunciaram que o abuso de poder é um problema sério, e que a autoridade dos homens, dos chefes, dos maridos, dos pais – e dos adultos em geral – seria questionada. Elas criaram uma estrutura e uma rede de apoio para as histórias de incesto e abuso infantil, assim como de estupro e violência doméstica. Essas histórias se tornaram parte da explosão narrativa da nossa época, à medida que tantas categorias de pessoas antes silenciadas começaram a falar sobre suas experiências.

Parte do aspecto caótico daquela época é que ninguém sabia muito bem como ouvir as crianças, ou como questioná-las, ou, em alguns casos, como peneirar e selecionar suas lembranças, ou as lembranças infantis de pacientes adultos em terapia. O infame julgamento de abuso na pré-escola McMartin, um dos mais longos e mais caros da história dos Estados Unidos, começou em 1983 quando uma mãe da região de Los Angeles alegou que seu filho havia sido molestado nessa escola. As autoridades não só correram a interferir na situação, mas exortaram os pais a fazer perguntas tendenciosas aos seus filhos e contrataram um terapeuta para entrevistar centenas de crianças com mais perguntas tendenciosas, oferecendo recompensas e utilizando marionetes e outros instrumentos e técnicas para ajudá-las a elaborar histórias totalmente inverossímeis sobre um pretenso abuso satânico.

Os resultados dos interrogatórios caóticos do caso da pré-escola McMartin por vezes são citados como prova de que as crianças são mentirosas, não confiáveis e delirantes; mas pode ser útil lembrar que foram os adultos o grande problema nesse caso. O professor de Direito Doug Linder escreve que o promotor deu uma entrevista em que "reconhece que as crianças começaram a 'enfeitar e enfeitar' suas histórias de abuso sexual", dizendo que, como promotores, "não deveríamos estar no tribunal", e que provas a favor dos acusados foram omitidas. Mesmo assim, os réus naquele longo julgamento e num segundo julgamento posterior não foram considerados culpados, embora poucos se lembrem disso.

Em 11 de outubro de 1991, uma professora de Direito foi chamada para prestar testemunho perante o Comitê Judiciário do Senado. A ocasião era a audiência para a confirmação de Clarence Thomas, candidato à Suprema Corte nomeado pelo primeiro presidente Bush; a depoente era Anita Hill. Quando indagada, numa entrevista privada e, mais tarde, depois que a entrevista vazou para a imprensa, em audiências no Senado, ela relatou uma lista de incidentes em que Thomas, na época seu chefe, a obrigou a ouvi-lo falar sobre vídeos pornográficos que ele assistia e suas fantasias sexuais. Ele também a pressionou para sair com ele. Quando recusou, disse ela, "ele não quis aceitar minha explicação como válida" – como se a palavra "não", por si só, não fosse válida.

Embora Hill tenha sido criticada por não tomar uma atitude em relação à conduta dele na época em que ocorreu, vale a pena lembrar que as feministas tinham articulado o conceito e cunhado o termo "assédio sexual" pouco tempo antes, e que apenas em 1986, depois de ocorridos os incidentes relatados por ela, a Suprema Corte reconheceu esse comportamento no local de trabalho como discriminação, passível de processo judicial. Quando ela decidiu falar a respeito, em 1991, foi atacada de maneira furiosa e extravagante. Seus interrogadores eram todos homens, sendo os republicanos, em particular, jocosos, incrédulos e zombeteiros. O senador Arlen Specter perguntou a uma testemunha que, com base em alguns encontros fugazes, afirmou que Hill tinha fantasias sexuais sobre ele: "O senhor acha que existe a possibilidade de que a professora Hill tenha imaginado ou fantasiado que o juiz Thomas disse aquelas coisas que ela o acusa de ter dito?" Era o esquema freudiano outra vez: quando Hill disse que aconteceu algo repulsivo, ela apenas desejava que aquilo tivesse acontecido, e talvez não soubesse diferenciar entre uma coisa e outra.

O país estava em alvoroço e numa espécie de guerra civil, pois muitas mulheres compreendiam exatamente como é comum o assédio e quantas consequências desagradáveis pode haver por denunciá-lo, e muitos homens não compreendiam. No curto prazo, Hill foi submetida a uma provação humilhante, e Thomas conseguiu a nomeação de qualquer maneira. As acusações mais fortes vieram do jornalista conservador David Brock, que publicou primeiro um artigo e depois um livro inteiro conspurcando Hill. Dez anos depois ele se arrependeu dos ataques contra ela e também do seu alinhamento com a direita, escrevendo: "Ao fazer tudo o que eu podia para arruinar a credibilidade de Hill, adotei uma abordagem indiscriminada, aleatória, jogando na mistura praticamente todas as alegações depreciativas – e muitas vezes contraditórias – sobre Hill, vindas da equipe de Thomas. [...] Ela era, nas minhas palavras, 'um pouco maluca e um pouco sem vergonha'".

No longo prazo, "Eu acredito em você, Anita" [I Believe You, Anita] tornou-se um *slogan* feminista, e muitos dão a Hill o crédito por ter lançado uma revolução no reconhecimento e na reação ao assédio sexual no local de trabalho. Um mês após as audiências, foi aprovada uma lei nacional sobre o assédio sexual com real poder de ação. Com isso as acusações de assédio dispararam, pois finalmente as mulheres tinham uma maneira de enfrentar os abusos no local de trabalho. A eleição de 1992 foi apelidada de "O Ano da Mulher" e Carol Mosley-Braun, até hoje a única mulher afro-americana já eleita para o Senado, conquistou o cargo, juntamente com outras mulheres senadoras e congressistas, mais numerosas do que jamais houve.

Ainda assim, mesmo agora, quando uma mulher diz algo incômodo sobre a má conduta masculina, ela é rotineiramente retratada como louca, delirante, uma conspiradora maldosa, uma mentirosa patológica, uma chorona que não percebe que foi tudo apenas brincadeira – ou todas as alternativas acima. A agressividade exagerada dessas respostas lembra a piada relatada por Freud sobre uma chaleira quebrada. Um homem foi acusado pelo vizinho de ter devolvido quebrada uma chaleira que tinha pedido emprestada; ele responde, então, que a havia devolvido intacta; que a chaleira já estava quebrada quando ele a tomou emprestado; e de toda forma, ele nunca havia pedido emprestado chaleira nenhuma. Quando uma mulher acusa um homem e ele ou seus defensores protestam tanto, ela se torna aquela chaleira quebrada, ou ele se torna o sujeito que a pediu emprestado. O filósofo Slavoj Žižek comenta: "Para Freud, essa enumeração de argumentos incoerentes confirma, evidentemente, *per negationem*, o que ela tenta negar – ou seja, que eu devolvi uma chaleira quebrada".

São tantas chaleiras quebradas. Duas décadas depois de Anita Hill, quando a camareira de hotel Nafissatou Diallo acusou Dominique Strauss-Kahn, diretor do Fundo Monetário Internacional, de agressão sexual, o *New York Post* a chamou de prostituta, a *New York Review of Books* publicou um artigo insinuando uma conspiração transnacional, e o pelotão de advogados caríssimos de Strauss-Kahn conseguiu que os principais meios de comunicação se concentrassem em mentiras que Diallo teria dito quando solicitou *status* de refugiada da Guiné (segundo ela, a fim de poupar à filha a mutilação genital feminina que ela mesma sofreu). Eles também atacaram inconsistências e incoerências no seu relato da agressão, embora seja muito comum que as pessoas traumatizadas sofram exatamente esse tipo de dificuldade para transformar uma experiência aniquiladora em uma narrativa linear bem organizada. A acusação criminal foi abandonada, mas Diallo ganhou a causa no tribunal civil tanto contra o *New York Post* como contra Strauss-Kahn, e acabou com a carreira de um dos homens mais poderosos do mundo – ou melhor, ela juntamente com várias outras mulheres que se apresentaram para acusá-lo de crimes sexuais.

E mesmo agora, quando Dylan Farrow, filha de Mia Farrow, repetiu suas acusações de que seu pai adotivo, Woody Allen, a havia molestado, ela se tornou a tal chaleira quebrada. Surgiu uma multidão de antagonistas; levantou-se o fantasma do caso da pré-escola McMartin; Woody Allen publicou uma tirada histriônica, afirmando que não poderia ter molestado a criança no sótão, como ela afirmou, porque não gostava daquele cômodo, acrescentando que ela "sem dúvida" tinha tido essa ideia a partir de uma música a respeito de um sótão, e propondo que ela tinha sido treinada e "doutrinada" por sua mãe, que poderia ter escrito, como *ghostwriter*, a acusação publicada por Dylan Farrow. Houve outra divisão entre os sexos, pois muitas mulheres julgavam que a jovem merecia crédito, porque já tinham ouvido esse tipo de coisa antes, enquanto muitos homens pareciam se focar no medo das falsas acusações e exageravam a frequência delas.

Escreve Judith Herman, cujo livro *Trauma and Recovery* [Trauma e Recuperação] aborda estupro, abuso de crianças e traumas de guerra: "O segredo e o silêncio são a primeira linha de defesa do agressor. Se o segredo falhar, o perpetrador ataca a credibilidade da vítima. Se não conseguir silenciá-la por completo, ele tenta garantir que ninguém a está ouvindo. [...] Depois de cada atrocidade, pode-se esperar ouvir as mesmas desculpas bem previsíveis: isso não aconteceu; a vítima está mentindo; a vítima está exagerando; foi a vítima quem provocou a situação; e de qualquer modo, é hora de esquecer o passado e seguir em frente. Quanto mais poderoso for o perpetrador, maior a sua prerrogativa de nomear e definir a realidade, e mais completamente irão prevalecer os seus argumentos".

Eles nem sempre prevalecem na nossa época. Ainda estamos numa era de batalhas sobre a quem será concedido o direito de falar e o direito de merecer crédito, e a pressão vem de ambas as direções. Do movimento dos direitos dos homens e de muita desinformação popular vem a noção sem fundamento de que há uma epidemia de falsas acusações de estupro. A implicação de que as mulheres, como categoria, não são pessoas de confiança e que o verdadeiro problema são as falsas acusações de estupro está sendo usada para silenciar as mulheres, para evitar discutir a violência sexual e retratar os homens como as principais vítimas. Esse argumento me faz lembrar um pouco o da fraude eleitoral, um crime tão raro nos Estados Unidos que, ao que parece, não exerce impacto nos resultados das eleições há muito tempo. No entanto, nos últimos anos os conservadores vêm alegando que essa fraude é epidêmica, e essas alegações têm sido usadas para privar do direito ao voto o tipo de pessoas – os pobres, não brancos, estudantes – que provavelmente vai votar contra eles.

AS CASSANDRAS DA VIDA REAL

Não estou argumentando aqui que mulheres e crianças não mentem. Homens, mulheres e crianças mentem, mas as duas últimas categorias não são especialmente propensas a mentir, e a primeira – o sexo dos vendedores de carros usados, do barão de Munchhausen e de Richard Nixon – não está tomada por um espírito de especial veracidade. Estou argumentando que devemos perceber claramente que esse velho quadro de desonestidade e confusão mental feminina continua sendo apresentado rotineiramente, e devemos aprender a reconhecê-lo como tal. Talvez devêssemos também reconhecer como é rotineira a reação exagerada, emocional, a uma mulher que se atreve a falar.

Uma amiga que trabalha com treinamento contra assédio sexual numa grande universidade relata que quando fez uma apresentação na faculdade de Administração de Empresas no seu *campus*, um dos professores mais velhos perguntou: "Por que haveríamos de começar uma investigação com base apenas no relato de uma mulher?" Ela tem dezenas de casos como este para contar, e outros sobre mulheres – estudantes, funcionárias, professoras, pesquisadoras – que lutam para serem acreditadas, especialmente quando testemunham contra infratores de *status* elevado.

Há pouco tempo, o colunista antediluviano George Will afirmou que existe apenas uma "suposta epidemia de estupros no *campus*", e que quando as universidades, as feministas ou os liberais "fazem com que ser vítima seja uma situação cobiçada, que confere privilégios, as vítimas proliferam". Usou então como exemplo um caso de estupro no namoro mais sem mérito que conseguiu encontrar e manipulou algumas estatísticas. As mulheres jovens responderam criando no Twitter a *hashtag* #survivorprivileges [privilégios das sobreviventes], publicando observações como "Eu não tinha me dado conta de que é um privilégio viver com transtorno pós-traumático, ansiedade grave e depressão #survivorprivilege" e "#DevoFicarCalada porque quando eu falei todo mundo disse que era mentira? #survivorprivilege".

A coluna de Will sequer constitui uma nova versão da velha ideia de que as mulheres são naturalmente mentirosas, não confiáveis, delirantes e malévolas, e que não há nada de interessante para se ver em todas essas acusações de estupro, já chega e vamos seguir em frente. Eu mesma passei por um exemplo minúsculo dessa experiência no início de 2014. Havia postado nas mídias sociais um trecho de um ensaio meu, já publicado, sobre os anos 1970 na Califórnia. Imediatamente, um estranho me acusou em resposta a dois parágrafos sobre incidentes da minha vida naquela época (levar cantadas de *hippies* adultos quando eu estava entrando na adolescência). Tanto a fúria desse homem como sua confiança sem fundamento na sua capacidade de julgar eram notáveis. Eis uma das coisas que ele disse: "*Você está exagerando, está indo além da realidade, sem apresentar nenhuma prova mais do que um repórter da FOX News. Você 'sente' que é verdade, então você diz que é verdade. Bem, eu chamo isso de 'conversa fiada.'*" Eu deveria apresentar provas

– como se isso fosse possível. Sou como essa gente ruim que distorce os fatos. Sou subjetiva, mas acredito que sou objetiva; eu sinto, mas confundo sentir com pensar ou saber. É uma ladainha tão conhecida, e uma raiva tão conhecida.

Se pudéssemos reconhecer ou mesmo dar um nome a essa atitude de desacreditar alguém, poderíamos superar essa fase de ter que recomeçar do zero a conversa sobre credibilidade toda vez que uma mulher abre a boca para falar.

E mais uma coisa sobre Cassandra: a descrença com que suas profecias eram recebidas era resultado de uma maldição lançada sobre ela pelo deus Apolo, quando ela se recusou a fazer sexo com ele. A ideia de que a perda de credibilidade está ligada a reivindicar os direitos sobre seu próprio corpo estava ali presente o tempo todo. Mas com as Cassandras da vida real que há entre nós, podemos desfazer a maldição, tomando nossas próprias decisões sobre em quem acreditar, e por quê.

CAPÍTULO 8

SimTodasAsMulheres

AS FEMINISTAS REESCREVEM A HISTÓRIA

Foi um jogo crucial na Copa do Mundo das Ideias. As duas equipes lutavam furiosamente pela bola. A equipe feminista, toda composta de estrelas, tentava repetidas vezes chutar a bola entre os dois postes marcados como "Problemas Sociais Generalizados", enquanto o time adversário, com pessoas da mídia dominante e com fulanos dominantes, se esforçava para chutar a bola na rede de sempre, chamada "Evento Isolado". Para evitar que a bola entrasse na rede, o goleiro do time dominante ficava gritando e repetindo: "Doença mental!" A "bola", é claro, era o significado do massacre de estudantes universitários em Isla Vista, Califórnia, perpetrado por outro aluno. Durante todo o fim de semana houve uma intensa batalha para definir os atos desse aluno. Vozes dominantes insistiam que ele tinha uma doença mental, como se isso o definisse, como se o mundo estivesse dividido em dois países chamados "Normal" e "Louco", que não compartilham uma fronteira ou uma cultura. Entretanto, a doença mental é geralmente uma questão de grau, não de tipo, e muitas pessoas que sofrem com isso são gentis e compassivas. E de muitas maneiras – incluindo a injustiça, a ganância insaciável e a destruição ecológica – a loucura, tal como a mesquinharia, é um fenômeno central à nossa sociedade, não fica simplesmente nas margens.

Em um artigo fascinante publicado em 2013, T. M. Luhrmann observou que na Índia, quando os esquizofrênicos ouvem vozes, provavelmente elas lhes dirão para limpar a casa, enquanto para os norte-americanos as vozes em geral ordenarão que cometam alguma violência. A cultura é importante. Ou como disse um amigo meu, investigador de defesa criminal, que conhece intimamente a insanidade e a violência: "Quando se começa a perder o contato com a realidade, o cérebro doente se agarra, de maneira obsessiva e ilusória, naquilo em que está imerso – na doença da cultura ao redor".

O assassino de Isla Vista também foi chamado repetidamente de "aberrante", como que para enfatizar que não era, em absoluto, como o restante de nós. Mas outras versões dessa violência estão em toda parte ao nosso redor, e principalmente na pandemia de ódio e violência contra as mulheres. No fim das contas, essa luta pelo significado do massacre cometido por um homem pode se tornar um momento decisivo na história do feminismo, que sempre lutou e continua lutando para nomear e definir, para falar e ser ouvido. "A batalha da narrativa", como foi chamada pelo Centro da Estratégia Baseada na Narrativa – pois você ganha ou perde a luta, em grande parte, por meio da linguagem e da narrativa que você utiliza.

Como disse em 2010 Jennifer Pozner, crítica de mídia, sobre outro massacre cometido por um homem que odiava mulheres:

> Não aguento mais ter que continuar escrevendo outras versões deste mesmo artigo ou *post* de blog, num *looping* sem fim. Mas preciso escrever, porque em todos esses casos, a violência baseada no gênero está no cerne dos crimes, e deixar de investigar esse fator motivador não só priva o público do quadro completo e preciso dos acontecimentos, como também nos priva da análise e do

contexto necessários para compreender a violência, reconhecer os sinais de alerta e tomar medidas para evitar massacres semelhantes no futuro.

O assassino de Isla Vista matou homens assim como mulheres, mas parece que o objetivo máximo da sua fúria era estourar a cabeça das alunas de uma irmandade universitária. Sem dúvida, ele interpretava sua falta de acesso sexual às mulheres como um comportamento ofensivo por parte delas; as mulheres, como ele imaginava numa triste mistura de arrogância e autopiedade, lhe deviam essa gratificação.

SIMTODASASMULHERES

Richard Martinez, pai de uma das vítimas, falou vigorosamente na TV em rede nacional sobre o controle do acesso a armas de fogo e a falta de coragem dos políticos que cederam ao *lobby* das armas, assim como sobre as causas mais amplas daquela devastação. Como defensor público do condado de Santa Bárbara, ele lida há décadas com a violência contra as mulheres, com usuários de armas e com doenças mentais, como fazem todos na sua área profissional. Ele e a mãe de Christopher Michaels-Martinez, uma procuradora distrital adjunta, conheciam intimamente o terreno antes de perderem seu único filho. O banho de sangue foi, de fato, causado pelas armas e por uma versão tóxica da masculinidade e dos supostos direitos dos homens; e também causado pelo sofrimento, pelos clichês e pelas soluções de filmes de bangue--bangue para os problemas emocionais. Mas foi, sobretudo, causado pelo ódio às mulheres.

Segundo um relato da conversa feminista que se seguiu, uma jovem com o nome on-line de Kaye (que desde então foi perseguida ou intimidada até se retirar do debate público) decidiu publicar *tweets* com a *hashtag* #YesAllWomen [#SimTodasAsMulheres] em algum momento daquele sábado após o massacre de Isla Vista. No domingo à noite, meio milhão de *tweets* #YesAllWomen haviam surgido em todo o mundo, como se um dique tivesse arrebentado. E talvez tenha arrebentado mesmo. A frase descrevia o inferno e os terrores que as mulheres enfrentam e criticava, especificamente, a resposta clichê dos homens para os relatos de opressão das mulheres: "Nem todos os homens são assim".

É a maneira de alguns homens dizerem: "Eu não sou o problema", ou de desviar a conversa, afastando-a dos cadáveres reais e das vítimas reais, assim como dos perpetradores, a fim de não constranger os homens que eram apenas inocentes espectadores. Uma mulher exasperada comentou comigo:

"O que eles querem? Ganhar um biscoitinho por não bater, estuprar nem ameaçar as mulheres?" As mulheres sentem o tempo todo o medo de serem estupradas e assassinadas, e por vezes é mais importante falar sobre isso do que proteger o bem-estar masculino. Ou como disse num *tweet* uma pessoa chamada Jenny Chiu: "Claro que #NotAllMen [#NemTodosOsHomens] são misóginos e estupradores. Essa não é a questão. A questão é que #SimTodasAsMulheres vivem com medo dos que são".

Várias mulheres – e também homens (mas principalmente mulheres) – brilhantemente disseram coisas contundentes:

- #SimTodasAsMulheres porque eu não posso tuitar sobre o feminismo sem receber ameaças e respostas pervertidas. Falar abertamente não deveria me assustar.

- #SimTodasAsMulheres porque vi mais homens com raiva dessa *hashtag* do que com raiva das coisas que realmente acontecem com as mulheres.

- #SimTodasAsMulheres porque se você for muito boazinha com eles, isso será um "convite", e se você for rude, arrisca-se a sofrer violência. De um jeito ou de outro, você é uma megera.

Foi um momento midiático iluminador, uma vasta conversa que alcançou todas as mídias, incluindo milhões de participantes no Facebook e no Twitter – o que é significativo, já que o Twitter tem sido um dos meios favoritos de fazer ameaças de estupro e morte a mulheres que se expressam com firmeza. Como notou Astra Taylor em seu novo livro, *The People's Platform* [A Plataforma do Povo], a linguagem da liberdade de expressão é usada para proteger o discurso do ódio, que é em si uma tentativa de privar outras pessoas da sua liberdade de expressão, de amedrontá-las até que calem a boca. Laurie Penny, escritora britânica e uma das vozes feministas importantes da nossa época, escreveu:

> Quando a notícia dos assassinatos [de Isla Vista] estourou, quando o mundo digital começou a absorver e discutir o seu significado, eu estava prestes a mandar um e-mail ao meu editor para pedir uns dias de folga, porque estava abalada com algumas ameaças de estupro particularmente horrendas e precisava de um tempo para organizar meus pensamentos. Em vez de tirar esse tempo de folga, estou escrevendo este *post*, e fazendo isso com raiva e tristeza – não só pelas vítimas do massacre de Isla Vista, mas pelo que está sendo perdido por toda parte enquanto a linguagem e a ideologia da nova misoginia continuam a

ser desculpadas. [...] Estou farta de ouvir conselhos para simpatizar com os perpetradores da violência cada vez que tento falar sobre as vítimas e as sobreviventes.

NOSSAS PALAVRAS SÃO NOSSAS ARMAS

Em 1963, Betty Friedan publicou um livro histórico, *The Feminine Mystique* [A Mística Feminina], no qual escreveu: "O problema que não tem nome – que é, simplesmente, o fato de que as mulheres norte-americanas são impedidas de crescer até atingirem sua plena capacidade humana – está prejudicando muito mais a saúde física e mental do nosso país do que qualquer doença conhecida". Nos anos seguintes esse problema ganhou vários nomes: chauvinismo machista, depois sexismo, misoginia, desigualdade, opressão. A cura deveria ser a "libertação das mulheres" ou "feminismo". Essas palavras, que hoje podem parecer desgastadas pelo uso, na época tinham o frescor da novidade.

Desde o manifesto de Friedan, o feminismo avançou, em parte, por dar nomes às coisas. O termo "assédio sexual", por exemplo, foi criado nos anos 1970, usado pela primeira vez no sistema legal nos anos 1980, recebeu *status* legal pela Suprema Corte em 1986, e ganhou cobertura generalizada da mídia em 1991, no turbilhão ocorrido depois que Anita Hill testemunhou contra seu antigo chefe, Clarence Thomas, nas audiências do Senado para a indicação dele à Suprema Corte.

A comissão julgadora, toda composta de homens, tratou Anita Hill com desprezo e procurou intimidá-la, enquanto muitos homens no Senado e em outros lugares não compreendiam que importância tinha que o chefe de uma mulher lhe dissesse coisas lascivas e exigisse serviços sexuais. Ou então simplesmente negavam que essas coisas acontecem. Muitas mulheres ficaram indignadas. Tal como no fim de semana pós-Isla Vista, foi um momento decisivo em que a conversa mudou, e quem captava a coisa a escancarava para quem não captava, abrindo algumas cabeças e atualizando algumas ideias. O adesivo de para-choque "I Believe You Anita" [Eu Acredito em Você, Anita] foi muito difundido por um tempo. Hoje, o assédio sexual é consideravelmente menos comum nos locais de trabalho e nas escolas, e suas vítimas dispõem de muito mais recursos, graças, em parte, às corajosas declarações de Hill em juízo e ao terremoto que se seguiu.

Há tantos termos que definem o direito de uma mulher existir e só foram cunhados recentemente: "violência doméstica", por exemplo, substituiu "espancamento da esposa" quando a legislação começou a demonstrar um (leve) interesse pelo assunto. Uma mulher ainda é espancada a cada nove segundos nos Estados Unidos, mas graças às heroicas campanhas feministas dos anos 1970 e 1980, hoje ela tem acesso a recursos legais que ocasionalmente funcionam, ocasionalmente a protegem e – ainda mais ocasionalmente – mandam o agressor para a cadeia. Em 1990, o *Journal of the American Medical Association* relatou: "Estudos feitos pela Secretaria de Saúde Pública [Surgeon General's Office] revelam que a violência doméstica é a principal causa de lesões infligidas a mulheres entre as idades de 15 e 44 anos. É uma causa mais comum do que a soma dos acidentes de carro, assaltos e óbitos por câncer".

Vou verificar esse fato e chego ao site da Coalizão do Estado de Indiana Contra a Violência Doméstica. Ali um alerta adverte os internautas que seu histórico de navegação pode ser monitorado em casa, e dá um número de telefone de emergência para violência doméstica. Ou seja, o site informa as mulheres que seus agressores podem puni-las por procurar informações ou por dar um nome à sua situação. É essa a realidade em que vivemos.

Uma das coisas mais chocantes que li recentemente foi um ensaio na revista *The Nation* sobre o infame e violento assassinato de Catherine Genovese, ou "Kitty", num bairro do Queens, em Nova York, em 1964. O autor do texto, Peter Baker, nos lembra que alguns dos vizinhos que assistiram das suas janelas o estupro e assassinato provavelmente pensaram que esse ataque selvagem perpetrado por um estranho era apenas um homem exercendo seus direitos sobre a "sua" mulher. "Com certeza tem relevância o fato de que, naquela época, a violência infligida por um homem à sua esposa ou companheira era considerada, de modo geral, um assunto particular. Com certeza importa que, perante as leis, tais como eram as leis em 1964, seria impossível um homem estuprar a própria esposa."

Termos como estupro por um conhecido, estupro no namoro e estupro marital ainda não tinham sido inventados.

PALAVRAS DO SÉCULO XXI

Linguagem é poder. Quando se transforma "tortura" em "interrogatório reforçado" ou crianças assassinadas em "danos colaterais", quebra-se o poder da linguagem de transmitir significado, seu poder de nos fazer enxergar, sentir, dar importância. Mas isso funciona nos dois sentidos. Pode-se usar o poder das palavras para enterrar o significado, ou então para desenterrá-lo e fazê-lo vir à tona. Se você não tem palavras para nomear um fenômeno, uma emoção, uma situação, não poderá falar a respeito, o que significa que não poderá se reunir com outras pessoas para tratar do problema, e muito menos mudar a situação. Expressões de uso comum nos Estados Unidos como "Catch 22" (tipo de círculo vicioso), ecossabotagem, *bullying* cibernético, "os 99% e o 1%" nos ajudaram a descrever o nosso mundo e também a transformá-lo. Isso pode ser particularmente verdade acerca do feminismo, um movimento focado em dar voz a quem não tem voz e poder a quem não tem poder.

Uma das novas expressões da nossa época é "cultura do estupro". Entrou em circulação no fim de 2012, quando diversos episódios de violência sexual em Nova Déli, na Índia, e em Steubenville, no estado de Ohio, foram manchetes na mídia. Como diz uma definição com palavras especialmente fortes:

> Cultura do estupro é um ambiente em que o estupro é predominante e a violência sexual contra as mulheres é normalizada e desculpada na mídia e na cultura popular. A cultura do estupro é perpetuada pelo uso da linguagem misógina, a objetificação do corpo da mulher e a glamorização da violência sexual, criando assim uma sociedade que ignora os direitos e a segurança das mulheres. A cultura do estupro afeta todas as mulheres. A maioria das mulheres e meninas limita seu comportamento devido à existência do estupro. A maioria das mulheres e meninas

vive com medo do estupro. Isso não acontece com os homens, de modo geral. É assim que o estupro funciona como um meio poderoso pelo qual toda a população feminina é mantida numa posição subordinada a toda a população masculina, apesar de que muitos homens não estupram, e muitas mulheres nunca são vítimas de estupro.

Já ouvi a expressão "cultura do estupro" ser usada para descrever especificamente o que se costuma chamar de "cultura da rapaziada" – a subcultura de zombarias e olhares lascivos em que alguns rapazes habitam. Outras vezes é usada para culpar a sociedade mais ampla, que transborda de misoginia em seu entretenimento, nas suas desigualdades cotidianas, nas lacunas em suas leis. A expressão "cultura do estupro" nos ajudou a parar de fingir que o estupro é uma anomalia, que não tem nada a ver com a cultura de modo geral, ou é até mesmo oposto aos seus valores. Se fosse assim, um quinto de todas as mulheres norte-americanas (e um homem em cada 71) não seriam sobreviventes de estupros; se fosse assim, 19% das estudantes universitárias não teriam que lidar com uma agressão sexual; se fosse assim, as Forças Armadas não estariam em meio a uma epidemia de violência sexual. O termo "cultura do estupro" nos permite começar a pensar que a raiz do problema está na cultura como um todo.

A expressão "senso de direito ao sexo" foi usada em 2012 em referência a agressões sexuais cometidas pelo time de hóquei da Universidade de Boston, embora seja possível encontrar usos anteriores da expressão. Eu a ouvi pela primeira vez em 2013 numa matéria da BBC que tratava de um estudo sobre o estupro na Ásia. O estudo concluiu que, em muitos casos, o motivo para o estupro era, simplesmente, a convicção que um homem tem o direito de ter relações sexuais com uma mulher, independentemente do desejo dela. Em outras palavras, os direitos dele superam os direitos dela, ou ela não tem direito algum. Esse sentimento de que os homens têm direito ao sexo está por toda parte. Muitas mulheres são acusadas, como eu fui na juventude, de que algo que nós fizemos ou dissemos ou vestimos, ou apenas a nossa aparência geral, ou o fato de sermos mulheres havia excitado desejos que nós tínhamos, portanto, a obrigação contratual de satisfazer. Nós devíamos isso a eles. Eles tinham esse direito. Tinham direito a nós.

A fúria masculina ao não ter suas necessidades emocionais e sexuais satisfeitas é comum demais, assim como a ideia de que se pode estuprar ou punir uma mulher para se vingar do que outras mulheres fizeram, ou deixaram de fazer. Há poucos meses, uma adolescente foi esfaqueada até a morte por ter recusado o convite de um garoto para ir com ele ao baile da escola; uma mulher de 45 anos, mãe de dois filhos, foi assassinada em 14 de maio de 2014 por tentar "distanciar-se" do homem com quem estava namorando; na Califórnia, na mesma noite dos assassinatos de Isla Vista, um homem atirou em várias mulheres que se negaram a fazer sexo com ele. Depois dos assassinatos de Isla Vista, a expressão "senso de direito ao sexo" surgiu de repente por toda parte. Blogs, comentários, conversas começaram a falar dela com brilho e com fúria. Creio que maio de 2014 marca a entrada da expressão no discurso cotidiano. Vai ajudar as pessoas a identificar e desacreditar as manifestações desse fenômeno. Vai ajudar a mudar as coisas. As palavras são importantes.

CRIMES, PEQUENOS E GRANDES

O rapaz de 22 anos que, em 23 de maio de 2014, assassinou seis colegas de faculdade e tentou matar muitas outras pessoas antes de tirar a própria vida julgava que sua infelicidade se devia às falhas alheias, não às suas, e jurou punir as garotas que, segundo ele, o haviam rejeitado. Na verdade, ele já tinha feito isso, repetidas vezes, cometendo pequenos atos de violência que prenunciavam a sua explosão final. Na sua longa e triste lamentação autobiográfica, ele conta que na sua primeira semana na faculdade,

[...] vi duas louras gostosas esperando no ponto de ônibus. Eu estava com uma camisa bem bonita, então olhei para elas e sorri. Elas olharam para mim, mas nem se dignaram a sorrir também. Só desviaram os olhos como se eu fosse um idiota. Em um surto de raiva, fiz o retorno, parei o carro junto ao ponto de ônibus e joguei meu *caffè latte* da Starbucks em cima delas. Senti uma satisfação cheia de despeito quando vi o café manchar os jeans delas. Como essas garotas se atrevem a me esnobar dessa maneira! Como elas se atrevem a me insultar assim! Era o que eu repetia para mim mesmo, em fúria. Elas bem mereceram o castigo que eu lhes dei. Pena que o meu café não estava bem quente, para queimá-las. Essas garotas mereciam ser jogadas na água fervente, pelo crime de não me dar a atenção e a adoração que eu mereço por direito!

Violência doméstica, "mansplaining", cultura do estupro, senso de direito ao sexo são algumas das ferramentas linguísticas que redefinem o mundo que muitas mulheres encontram diariamente e abrem o caminho para começar a mudá-lo.

O termo "equilíbrio pontuado" foi usado por Clarence King, geólogo e pesquisador do século XIX, e por biólogos do século XX para descrever um tipo de mudança que consiste em períodos lentos e calmos, relativamente estáticos, interrompidos por intervalos turbulentos. A história do feminismo é assim – vários equilíbrios pontuados em que nossas conversas sobre a natureza do mundo onde vivemos sofre a pressão de algum evento inesperado e de repente dá um passo a frente. É então que mudamos o curso da história.

Creio que estamos hoje numa dessas crises de oportunidade, agora que não é um jovem infeliz assassino que é posto em questão, mas sim toda a estrutura em que vivemos. Naquela sexta-feira em Isla Vista, nosso equilíbrio foi interrompido e, como um terremoto que libera tensão entre placas tectônicas, os domínios do gênero se deslocaram um pouquinho. E mudaram não por causa do massacre em si, mas porque milhões de pessoas se reuniram numa vasta rede de conversas para compartilhar experiências, revisar significados e definições e chegar a novos entendimentos. Nas homenagens fúnebres realizadas em toda a Califórnia, as pessoas erguiam velas acesas; nessa conversa, as pessoas erguiam ideias, palavras e relatos que também brilhavam na escuridão. Quem sabe essa mudança cresça, perdure, tenha importância, e seja um memorial duradouro para as vítimas.

Seis anos atrás, quando me sentei para escrever o ensaio "Os Homens Explicam Tudo para Mim", eis o que me surpreendeu: apesar de ter começado com um exemplo ridículo de ser tratada com condescendência por um homem, terminei falando de estupros e assassinatos. Nossa tendência é tratar a violência e o abuso de poder como se as duas coisas estivessem em categorias hermeticamente fechadas: assédio, intimidação, espancamento, estupro, assassinato. Mas percebo agora que o que eu estava dizendo é: essas coisas, quando começam, vão escorregando ladeira abaixo. É por isso que precisamos encarar essa ladeira, em vez de colocar em compartimentos estanques as diversas variedades de misoginia e lidar com cada uma separadamente. Ao fazer isso, o resultado foi fragmentar o quadro, ver as partes e não o todo.

Um homem age com a convicção de que você não tem o direito de falar, nem de definir o que está acontecendo. Isso pode significar apenas interromper você à mesa de jantar ou num congresso. Também pode significar mandar você calar a boca, ou ameaçá-la caso você abra a boca, ou bater em você por ter falado, ou matá-la para silenciar você para sempre. Ele pode ser seu marido, seu pai, seu chefe ou editor, ou um estranho em alguma reunião ou num trem, ou um cara que você nunca viu e que está com raiva de alguma outra pessoa, mas julga que "as mulheres" constituem uma categoria tão pequena que você pode substituir esta por "aquela". Ele está ali para lhe dizer que você não tem direitos. Os atos em geral são precedidos por ameaças, razão pela qual as mulheres que são alvo de ameaças on-line de estupro e morte as levam a sério – embora os sites que permitem isso e os policiais que em geral ignoram tudo isso aparentemente não façam o mesmo. Muitas, muitíssimas mulheres são assassinadas depois de deixarem um namorado ou marido que acredita que é dono dela e que ela não tem direito à autodeterminação.

Apesar desse assunto lúgubre, estou impressionada com o poder que o feminismo tem mostrado ultimamente. Ver Amanda Hess, Jessica Valenti, Soraya Chemaly, Laurie Penny, Amanda Marcotte, Jennifer Pozner e outras feministas mais jovens entrar em ação no fim de semana após os assassinatos cometidos por Rodgers em Isla Vista foi emocionante, e a súbita explosão dos *tweets* #YesAllWomen foi espantosa. Também foi animador ver quantos homens expressaram suas reflexões. Cada vez mais homens estão empenhados ativamente, em vez de serem apenas espectadores do tipo #NotAllMen.

Começamos a ver ideias antes radicais florescer na grande mídia. Começamos a ver os nossos argumentos e nossas maneiras inteiramente novas de enxergar o mundo ganhando terreno e adeptos. Quem sabe nós todos já estejamos insuportavelmente cansados dos que defendem o livre porte de armas, após mais de quarenta tiroteios em escolas *depois* do ocorrido na Escola Primária de Sandy Hook em dezembro de 2012. Quem sabe já estamos fartos de ver o resultado das fantasias machistas de controle e vingança, do ódio às mulheres.

Pensando novamente no "problema que não tem nome" de Betty Friedan, vemos um mundo profundamente diferente do mundo em que vivemos hoje, um mundo onde as mulheres tinham muito menos direitos e muito menos voz. Naquela época, argumentar que as mulheres deveriam ser iguais aos homens perante a lei era uma posição marginal; hoje, argumentar que não devemos ser iguais é uma posição marginal nesta parte do mundo, e a lei está, de modo geral, do nosso lado. A luta tem sido e continuará sendo longa, difícil e por vezes feia, e a reação contra o feminismo continua feroz, vigorosa e onipresente; mas ela não está vencendo. O mundo mudou profundamente, e precisa mudar muito mais – e naquele fim de semana de luto, introspecção e conversas podíamos ver, ao vivo, a mudança acontecer.

CAPÍTULO 9

A caixa de Pandora e a polícia voluntária

A história dos direitos das mulheres e do feminismo muitas vezes é narrada como se se tratasse de uma pessoa que já deveria ter chegado ao último marco da sua trajetória, ou que não conseguiu avançar o suficiente nessa direção. Na virada do milênio, muita gente parecia estar dizendo que o feminismo havia fracassado, ou terminado. Por outro lado, houve uma maravilhosa exposição feminista nos anos 1970 intitulada "Seus 5 mil anos terminaram". Era uma paródia de todos aqueles gritos radicais lançados contra ditadores e regimes abusivos, alertando que os seus x anos de domínio já acabaram. E também afirmava um ponto importante.

O feminismo é um esforço para mudar algo muito antigo, muito difundido e profundamente enraizado em muitas culturas, talvez a maioria delas em todo o mundo, em inúmeras instituições e na maioria dos lares na Terra – e também na nossa cabeça, onde tudo começa e termina. O fato de que uma mudança tão grande tenha sido realizada em quatro ou cinco décadas é incrível; o fato de que nem tudo tenha mudado de maneira permanente, definitiva, irrevogável não é um sinal de fracasso. Uma mulher caminha por uma estrada de mil quilômetros. Vinte minutos depois de iniciar, proclama-se que ela ainda tem 999 quilômetros pela frente e nunca chegará a lugar nenhum.

Leva tempo. Há marcos no caminho, mas há muitas pessoas viajando por essa estrada, cada uma no seu próprio ritmo; algumas chegaram mais tarde, outras estão tentando impedir as que estão avançando, e algumas estão voltando para o começo, ou se sentem confusas, sem saber que rumo tomar. Mesmo na nossa própria vida, nós regredimos, fracassamos, prosseguimos, tentamos de novo, nos perdemos, e por vezes damos um grande salto, encontramos o que nem sabíamos que estávamos procurando – e mesmo assim continuamos a conter contradições dentro de nós, ao longo de gerações.

A estrada é uma imagem clara, fácil de imaginar, mas engana quando nos diz que a história da mudança e da transformação é um caminho linear, como se fosse possível visualizar a África do Sul, a Suécia, o Paquistão e o Brasil marchando juntos, em uníssono. Há outra metáfora que me agrada, que não expressa o progresso, mas sim a mudança irrevogável: é a caixa de Pandora ou, se preferir, os gênios (ou *djinnis*) que moram dentro das garrafas nas histórias das *Mil e Uma Noites*. No mito de Pandora, a ênfase habitual é sobre a perigosa curiosidade da mulher que abriu o jarro – na realidade, foi um jarro e não uma caixa que os deuses lhe deram – e, assim, soltou todos os males ali presos, que saíram da caixa e invadiram o mundo. Às vezes a ênfase recai sobre o que restou no jarro: a esperança. Mas o que me interessa neste momento é que, tais como os gênios, ou espíritos poderosos das histórias árabes, as forças que Pandora deixou sair não voltam nunca mais para a caixa, ou o jarro. Adão e Eva comeram o fruto da Árvore do Conhecimento e nunca mais voltaram a ser ignorantes. (Algumas culturas antigas agradeciam a Eva por nos tornar plenamente humanos e conscientes.) Não há como voltar atrás. Pode-se abolir os direitos reprodutivos que as mulheres conseguiram em 1973 com o caso Roe *vs.* Wade, quando a Suprema Corte dos Estados Unidos legalizou o aborto – ou melhor, decidiu que as mulheres têm direito à privacidade sobre seu próprio corpo, o que impede a proibição do aborto. Mas não se pode abolir tão facilmente a *ideia* de que as mulheres têm certos direitos inalienáveis.

É interessante notar que, para justificar esse direito, os juízes citaram a Décima Quarta Emenda constitucional, adotada em 1868, após a Guerra Civil americana no contexto da definição dos direitos e liberdades dos ex-escravos. Assim, podemos estudar o movimento contra a escravidão – com poderosa participação feminina e repercussões feministas – que acabou levando à Décima Quarta Emenda, e ver, mais de um século depois, como essa emenda vem servir especificamente às mulheres. "Tudo que vai, volta" – supõe-se que esse provérbio resuma uma maldição; às vezes, porém, o que volta é um presente.

PENSANDO FORA DA CAIXA

O que nunca mais entra de novo no jarro ou na caixa são as ideias. E as revoluções são, acima de tudo, feitas de ideias. Pode-se reduzir os direitos reprodutivos, como fizeram os conservadores na maioria dos estados norte-americanos, mas não se pode convencer a maioria das mulheres de que elas *não* deveriam ter direito algum de controlar seu próprio corpo. As mudanças práticas ocorrem depois de mudanças em corações e mentes. Às vezes, mudanças legais, políticas, econômicas e ambientais se seguem a essas mudanças, embora nem sempre, pois depende muito de onde o poder se situa. Assim, por exemplo, a maioria dos norte-americanos entrevistados gostaria de ver arranjos econômicos muito diferentes daqueles que temos hoje, e a maioria está mais disposta a aceitar mudanças radicais para enfrentar as mudanças climáticas do que as empresas que controlam essas decisões e as pessoas que tomam essas decisões.

No campo social, porém, a imaginação exerce grande poder. A arena mais dramática em que isso já ocorreu é a dos direitos de gays, lésbicas e pessoas transgênero. Menos de meio século atrás, ser qualquer coisa exceto rigorosamente heterossexual era algo que devia ser tratado como crime, doença mental ou ambas as coisas, e punido severamente. Não havia qualquer proteção contra esse tratamento; não só isso, como havia leis obrigando a perseguição e a exclusão.

Essas notáveis transformações muitas vezes são narradas como histórias de política legislativa e de campanhas específicas para mudar as leis. Mas por trás delas existe uma transformação da imaginação, que levou a um declínio da ignorância, medo e ódio chamados homofobia. A homofobia norte-americana parece estar nesse declínio constante, mais característica hoje dos velhos do que dos jovens. Esse declínio foi catalisado pela cultura e promulgado por incontáveis pessoas gays que saíram da "caixa" chamada "armário" para serem elas mesmas em público. Enquanto escrevo, um jovem casal de lésbicas acaba de ser eleito Rainhas da Volta às Aulas numa escola no sul da Califórnia, e dois garotos gays foram eleitos como o casal mais bonito da sua escola, em Nova York. Isso pode ser um fato trivial de popularidade na escola secundária, mas não muito tempo atrás teria sido assombrosamente impossível.

É importante notar (como fiz em "Elogio à Ameaça", neste livro), que a própria noção de que o casamento pode abranger duas pessoas do mesmo sexo só é possível porque as feministas arrancaram o casamento do sistema hierárquico no qual se situava e o reinventaram como um relacionamento entre iguais. Os que se sentem ameaçados pela igualdade no casamento, segundo muitos indícios sugerem, se sentem igualmente ameaçados pela ideia de igualdade entre casais heterossexuais como entre os casais gays. A libertação é um projeto contagioso, já que estamos falando de coisas que vão e depois voltam.

A homofobia, tal como a misoginia, continua sendo terrível; mas não tão terrível como era, digamos, em 1970. Encontrar maneiras de apreciar os avanços já feitos, sem relaxar e cair na complacência, é uma tarefa delicada. Inclui ter esperança e motivação e manter o olhar fixo no prêmio à frente. Dizer que tudo está bem, ou então que as coisas nunca vão melhorar, são maneiras de não ir a parte alguma, ou de tornar impossível ir a qualquer lugar. Tanto uma atitude como a outra implica que não há um caminho, uma saída da situação – ou que, se houver, você não precisa ou não pode caminhar por essa estrada. Você pode, sim. Nós já caminhamos. Temos muito chão pela frente, mas olhando para trás, é animador ver como já avançamos. A violência doméstica era, de modo geral, invisível e ficava sem punição até que houve um esforço heroico das feministas, há algumas décadas, para denunciá-la e reprimi-la. Embora agora ela constitua uma parte significativa dos telefonemas para a polícia, o cumprimento da lei tem sido péssimo na maioria dos lugares – mas a simples ideia que o marido tem o direito de bater na esposa e que esse é um assunto particular do casal não está voltando à cena. O gênio não está de volta à garrafa. E é assim, de fato, que a revolução funciona. As revoluções são, antes de qualquer coisa, ideias.

O grande pensador anarquista David Graeber escreveu recentemente:

O que é uma revolução? Antes, nós pensávamos que sabíamos. Uma revolução era uma tomada de poder pelas forças populares visando transformar a própria natureza do sistema político, social e econômico do país onde a revolução ocorria, geralmente seguindo algum sonho visionário de uma sociedade justa.

Hoje vivemos numa época em que, se os exércitos rebeldes realmente invadirem uma cidade, ou se uma revolta de massa derrubar um ditador, provavelmente não haverá essas implicações; quando ocorre uma profunda transformação social – como, digamos, a ascensão do feminismo –, ela provavelmente assumirá uma forma inteiramente diferente. Não é que os sonhos revolucionários não estejam vivos por aí. Mas os revolucionários contemporâneos raramente pensam que podem realizá-los mediante algum equivalente moderno da Tomada da Bastilha. Em momentos como este, em geral vale a pena fazer um retrospecto da história que já conhecemos e perguntar: será que as revoluções foram, de fato, aquilo que acreditávamos que elas foram?

Graeber argumenta que não – ou seja, não foram principalmente tomadas do poder num único regime, mas sim rupturas a partir das quais nasciam novas ideias e novas instituições, e daí o impacto se espalhava. Segundo ele, "a Revolução Russa de 1917 foi uma revolução mundial; em última instância, foi responsável também pelo New Deal e pelos Estados do bem-estar social na Europa, tanto quanto pelo comunismo soviético". O que significa que se pode invalidar a suposição usual de que a Revolução Russa só levou ao desastre. Ele continua: "A última da série foi a revolução mundial de 1968 – que, tal como em 1848, estourou em quase todos os lugares, da China ao México, e não tomou o poder em nenhum lugar, mas mesmo assim mudou tudo. Foi uma revolução contra a burocracia estatal e a favor da inseparabilidade da libertação pessoal com a libertação política, e seu legado mais duradouro provavelmente será o nascimento do feminismo moderno".

A POLÍCIA VOLUNTÁRIA

Assim, o gato está fora do saco, o gênio saiu da garrafa, a caixa de Pandora está aberta. Não há volta. Mesmo assim, há tantas forças tentando nos empurrar para trás ou, no mínimo, deter o nosso avanço. Por vezes, quando estou num estado de espírito mais sombrio, penso que as mulheres precisam escolher – entre serem punidas por não serem subjugadas e a punição contínua da subjugação. Mesmo que as ideias não voltem para a caixa, há um enorme esforço para colocar as mulheres de volta no seu lugar. Ou no lugar que os misóginos pensam que é o nosso – um lugar de silêncio e impotência.

Há mais de vinte anos, Susan Faludi publicou um livro fundamental chamado *Blacklash: The Undeclared War Against American Women* [Backlash – O Contra-Ataque na Guerra não Declarada Contra as Mulheres]. Ali ela descrevia o conflito das mulheres naquele momento: estavam sendo parabenizadas por estarem totalmente liberadas e empoderadas e, ao mesmo tempo, eram punidas por uma série de artigos, relatos e livros dizendo que, ao se libertarem, tinham se tornado infelizes; estavam incompletas, perdendo muita coisa na vida, eram derrotadas, solitárias, desesperadas. "Esse boletim do desespero é publicado em toda parte – na banca de jornais, na TV, no cinema, nos anúncios, nos consultórios médicos, nos periódicos acadêmicos", escreve Faludi. "Como podem as mulheres americanas ter tantos problemas, ao mesmo tempo que são, supostamente, tão afortunadas?"

A resposta de Faludi foi, em parte, que, embora as mulheres americanas não tenham conseguido conquistar a igualdade ao ponto em que muitos imaginavam, também não sofriam tanto quanto se dizia. Os artigos eram uma reação, uma tentativa de repelir as que vinham avançando. Tais instruções sobre como as mulheres são infelizes e malsinadas ainda não desapareceram. Aqui está o editorial da revista *n+1*, no fim de 2012, sobre uma recente série de artigos de retaliação às mulheres na revista *Atlantic:*

> *Ouçam, senhoras,* dizem esses artigos. *Estamos aqui para falar com vocês de uma forma limitada e aviltante.* Cada autora relata um dilema particular enfrentado pela "mulher moderna", e apresenta sua própria vida como estudo de caso. [...] Os problemas que essas mulheres descrevem são diferentes, mas sua perspectiva é a mesma: as relações tradicionais de gênero têm que perdurar, necessariamente, e a mudança social genuinamente progressista é uma causa perdida. Gentilmente, como uma boa amiga, a *Atlantic* diz às mulheres que agora elas podem parar de fingir que são feministas.

Há uma polícia voluntária que procura manter as mulheres no seu lugar, ou colocá-las de volta no seu lugar. O mundo on-line está cheio de ameaças, em geral anônimas, de estupro e morte para as mulheres que se destacam – por exemplo, que participam de games on-line ou que expressam suas opiniões sobre questões polêmicas, ou até mesmo para a mulher que, recentemente, fez uma campanha para colocar imagens de mulheres nas cédulas de dinheiro britânicas (um caso incomum, pois muitos que a ameaçaram foram rastreados pela polícia e levados à Justiça). Como disse a escritora Caitlin Moran num *tweet*: "Para aqueles que dizem, 'Por que reclamar? Basta bloquear!' – num só dia de muita trolagem, podem me chegar cinquenta mensagens de violência/estupro por hora".

Talvez haja uma verdadeira guerra agora, não uma guerra dos sexos – a divisão não é tão simples, já que há mulheres conservadoras e homens progressistas em lados opostos – mas sim uma guerra de papéis de gênero. É uma prova de que o feminismo e as mulheres continuam realizando avanços que ameaçam e enfurecem algumas pessoas. Essas ameaças de estupro e morte são a resposta mais contundente; a versão decorosa são todos esses artigos citados por Faludi e a $n+1$, dizendo às mulheres quem somos, quais podem ser nossas aspirações – e quais não podem.

E o sexismo casual também está sempre vivo para nos controlar: um editorial do *Wall Street Journal* põe a culpa nas mães pelas crianças sem pai, lançando o termo "carreirismo feminino". Amanda Marcotte, que escreve no site

Salon, observa: "Aliás, se você procurar no Google 'carreirismo feminino', vai encontrar um monte de *links*, mas se procurar 'carreirismo masculino', o Google pergunta se você quis dizer 'carreiras masculinas', ou até mesmo 'carreiras mahle'. Aparentemente o carreirismo – a necessidade patológica de ter um emprego remunerado – é uma doença que só afeta as mulheres".

E há ainda todos os tabloides patrulhando o corpo e a vida privada das mulheres famosas e culpando-as constantemente: por serem muito gordas, muito magras, muito sexy, pouco sexy, solteiras demais, que ainda não tiveram filhos, perdendo a chance de ter filhos, que já tem filhos, mas não está criando-os adequadamente – e sempre presumindo que a ambição de cada uma delas não é ser uma grande atriz ou cantora ou uma voz lutando pela liberdade, ou uma amante das aventuras, mas sim ser esposa e mãe. Voltem para a caixa, mulheres famosas! (As revistas femininas e de moda dedicam muito espaço dizendo à leitora como ela própria deve correr atrás desses objetivos, ou como avaliar suas falhas em relação a eles.)

Em sua obra fundamental de 1991, Faludi conclui: "E mesmo assim, apesar de todas as forças que a reação negativa conseguiu reunir [...] as mulheres realmente nunca se renderam". Hoje os conservadores estão lutando, de modo geral, em ações de retaguarda. Estão tentando armar novamente um mundo que nunca existiu exatamente como eles imaginam (e na medida em que existiu, foi à custa de todas as pessoas – a grande maioria de nós – forçadas a desaparecer, seja no armário, na cozinha, em espaços segregados, na invisibilidade ou no silêncio).

Graças aos fatores demográficos, esse impulso conservador não vai dar certo – os Estados Unidos não voltarão a ser um país de maioria branca – e como o gênio não vai entrar de novo na garrafa, tampouco os gays vão voltar para o armário, e as mulheres não vão se render. É uma guerra, mas não creio que estejamos perdendo, mesmo que não venhamos a vencê-la no futuro próximo; em vez disso, algumas batalhas são ganhas, outras são travadas, e algumas mulheres estão indo muito bem, enquanto outras sofrem. E as coisas continuam a mudar de maneiras interessantes e às vezes até auspiciosas.

O QUE OS HOMENS QUEREM?

As mulheres são um assunto eterno – em inglês, *subject*, "assunto", é algo muito parecido com estar sujeito, ou subjugado. Há relativamente poucos artigos especulando se os homens são felizes, ou por que seus casamentos fracassam, ou como o corpo deles é bonito, ou feio – até mesmo o corpo de astros de cinema. São os homens que cometem a grande maioria dos crimes, em especial os crimes violentos, e também a maioria dos suicídios. Os homens norte-americanos estão ficando atrás das mulheres em frequência à universidade, e caíram mais fundo na atual depressão econômica do que as mulheres – algo que, poderíamos supor, os tornaria um assunto interessante para pesquisa.

Creio que o futuro de algo que talvez não chamemos mais de feminismo deve incluir uma investigação mais profunda sobre os homens. O feminismo procurou e continua procurando mudar todo o mundo humano; muitos homens assumiram esse projeto junto com as mulheres, mas de que modo o projeto beneficia os homens, e de que forma o *status quo* prejudica também os homens são temas que mereceriam mais reflexão. Assim como uma pesquisa sobre os homens que cometem a maior parte da violência, das ameaças, do ódio – a tropa de choque da polícia voluntária – e sobre a cultura que os incentiva. Ou talvez essa pesquisa já tenha começado.

No fim de 2012, dois estupros receberam enorme atenção em todo o mundo: o estupro coletivo e assassinato de Jhoti Singh em Nova Déli, na Índia, e o estupro ocorrido em Steubenville, nos Estados Unidos, com vítima e agressores adolescentes. Foi a primeira vez, que eu me lembre, de ter visto as agressões cotidianas às mulheres serem tratadas mais ou menos como os linchamentos, a violência contra os gays e outros crimes de ódio: como exemplos de um fenômeno generalizado, intolerável e que deve ser enfrentado pela sociedade e não apenas levando certos indivíduos à Justiça. Os estupros sempre foram retratados como incidentes isolados cometidos por perpetradores anômalos (ou por impulsos incontroláveis naturais, ou pelo comportamento da vítima), e não um padrão geral de comportamento com causas culturais.

Agora a conversa mudou. O termo "cultura do estupro" começou a circular amplamente. Ele afirma com insistência que a cultura da sociedade mais ampla gera crimes individuais, e que as duas coisas devem ser enfrentadas – e podem ser enfrentadas. A expressão foi usada pela primeira vez pelas feministas nos anos 1970, mas o que a colocou em circulação geral, como sugerem os indícios, foram as "Slutwalks" [Marchas das Vadias] que começaram em 2011 como um protesto contra a cultura de culpar a vítima.

Um policial de Toronto, ao dar uma palestra sobre segurança numa universidade, disse às alunas para não se vestirem como vadias [*sluts*]. Logo depois, as "Slutwalks" se tornaram um fenômeno internacional, com mulheres, sobretudo jovens, muitas vezes vestidas de maneira sexy, retomando os espaços públicos – algo semelhante às caminhadas

[Take Back the Night] [A Noite É Nossa] dos anos 1980, porém com mais batom e menos roupas. As jovens feministas são um fenômeno emocionante: inteligentes, atrevidas, engraçadas, defendendo os direitos e reivindicando os espaços – e transformando a conversa.

O comentário do policial sobre "vestir-se como vadias" fazia parte da ênfase que as universidades decidiram dar, ao dizer às estudantes como se fechar numa caixinha com segurança – não vá ali, não faça isso, não faça aquilo – em vez de dizer aos estudantes homens para não estuprarem: isso faz parte da cultura do estupro. No entanto, surgiu um movimento nacional organizado por estudantes universitários, a maioria mulheres, muitas delas sobreviventes de agressões sexuais nos *campi*, obrigando as universidades a mudar sua maneira de lidar com esses ataques. O mesmo ocorreu com um movimento para enfrentar a epidemia de violência sexual nas Forças Armadas, que também conseguiu obrigá-las a realizar mudanças reais nas políticas adotadas e processos legais contra os acusados.

O novo feminismo está tornando os problemas visíveis de novas maneiras – talvez de maneiras que só são possíveis agora que tanta coisa mudou. Um estudo sobre o estupro na Ásia chegou a conclusões alarmantes sobre sua natureza generalizada, mas também introduziu a expressão "senso de direito ao sexo" para explicar por que isso ocorre com tanta frequência. Disse a autora do relatório, doutora Emma Fulu: "Eles acreditam que têm o direito fazer sexo com a mulher, com ou sem seu consentimento". Em outras palavras, a mulher não tem direitos. Onde foi que eles aprenderam isso? O feminismo, como observou a escritora Marie Sheer em 1986, "é a noção radical de que as mulheres são pessoas". Mulher é gente – eis uma noção ainda não aceita universalmente, mas que vai se difundindo. A mudança na conversa é animadora, assim como o crescente envolvimento dos homens no feminismo. Sempre houve homens dando apoio. Quando foi realizada a primeira convenção dos direitos das mulheres em Seneca Falls, estado de Nova York, em 1848, 32 dos 100 signatários do manifesto – que fazia eco à Declaração de Independência dos Estados Unidos – eram homens.

Mesmo assim, tudo aquilo era visto como um problema das mulheres. Tal como o racismo, não é possível enfrentar adequadamente a misoginia apenas pelas suas vítimas. Os homens que compreendem o problema também compreendem que o feminismo não é um esquema maléfico para prejudicar os homens, mas sim uma campanha para libertar todos nós.

Nos libertar do quê? De muita coisa: talvez de um sistema que recompensa a competição implacável, as metas de curto prazo e um individualismo duro e agressivo, um sistema que serve tão bem à destruição ambiental e ao consumo ilimitado – enfim, esse arranjo que se pode chamar de capitalismo. Ele encarna o pior que há no machismo, enquanto destrói o que há de melhor na Terra. Há mais homens do que mulheres que se encaixam bem nele; mas ele não serve, de fato, a nenhum de nós. Podemos lembrar de movimentos como a revolução zapatista, com uma ideologia ampla que inclui perspectivas feministas, assim como ambientais, econômicas, indígenas e outras. Talvez esse seja o futuro do feminismo que não é mais só feminismo. Ou talvez já seja o presente do feminismo: os zapatistas surgiram em 1994 e continuam vivos, assim como milhares de outros projetos para reimaginar quem somos, o que queremos e como podemos viver.

No fim de 2007, quando participei de um *encuentro* zapatista na Selva Lacandona, focado nas vozes e nos direitos das mulheres, as mulheres participantes deram testemunhos emocionados sobre como sua vida tinha mudado quando ganharam direitos no lar e na comunidade, como parte da sua revolução. "Nós não tínhamos direitos", disse uma delas sobre a época anterior à rebelião. Outra declarou: "O mais triste é que nós não conseguíamos compreender as nossas dificuldades, o motivo por que éramos abusadas. Ninguém nunca nos falou sobre os nossos direitos".

Aqui está aquela estrada, talvez com mil quilômetros de extensão, e a mulher que vai caminhando por ela não está no quilômetro um. Não sei até onde ela vai prosseguir, mas sei que não está recuando, apesar de tudo – e não está caminhando sozinha. Talvez nessa estrada haja incontáveis homens e mulheres, e também pessoas de algum gênero mais interessante.

Eis a caixa que Pandora tinha nas mãos e as garrafas de onde os gênios foram libertados; hoje nos parecem prisões e caixões. Nesta guerra morrem pessoas, mas não é possível apagar as ideias.

Créditos das imagens

Todas as imagens de Ana Teresa Fernandez (anateresa fernandez.com), são cortesia da artista e da Galeria Wendi Norris.

1. "Sem título" (registro de performance), óleo sobre tela, 15×20 cm, da série "Pressing Matters".
2. "Aquarius" (registro de performance na fronteira San Diego/Tijuana), óleo sobre tela, 135×205 cm, da série "Ablução".

3. "Sem título" (registro de performance na fronteira San Diego/Tijuana), óleo sobre tela, 150×180 cm, da série "Pressing Matters".

4. "Sem título" (registro de performance), óleo sobre tela, 175×200 cm, da série "Ablução".

5. "Sem título" (registro de performance), óleo sobre tela, 180×150 cm, da série "Teleraña".

6. "Sem título" (registro de performance), óleo sobre tela, 180×150 cm, da série "Teleraña".

7. "Entre" (registro de performance na cerca fronteiriça entre Tijuana e San Diego), óleo sobre tela, 75×100 cm.

8. "Corpos de Água" (registro de performance) – Montando um cavalo selvagem numa cratera onde, no passado, milhares de virgens foram afogadas como oferenda aos deuses, na península de Yucatán, óleo sobre tela, 195×212 cm.

9. "Sem título" (registro de performance), óleo sobre tela, 132×142 cm, da série "Ablução".

Agradecimentos

Há tantas pessoas para agradecer. Marina Sitrin foi uma grande amiga e apoiadora. "Os Homens Explicam Tudo para Mim" foi escrito devido ao seu incentivo, e também, em parte, para sua irmã mais nova, Sam Sitrin. Foi Sallie Shatz quem me levou para aquela estranha festa no Colorado onde tudo começou. A amizade com feministas veteranas, em especial Lucy Lippard, Linda Connor, Meridel Rubenstein, Ellen Manchester, Harmony Hammond, MaLin Wilson Powell, Pame Kingfisher, Carrie e Mary Dann, Pauline Esteves e May Stevens tem sido valiosa e me dado muita força, assim como a de feministas mais jovens, como Christina Gerhardt, Sunaura Taylor, Astra Taylor, Ana Teresa Fernandez, Elena Acevedo Dalcourt e muitas outras cuja inteligência feroz sobre a política de gênero me enche de esperança no futuro. O mesmo sentimento me desperta a solidariedade de muitos homens na minha vida e na mídia, que hoje estão sintonizados nas questões importantes e também se fazem ouvir.

Mas talvez eu devesse começar pela minha mãe, que assinou a revista *Ms.* logo que esta surgiu, e conservou sua assinatura durante muitos anos. Creio que a revista a ajudou, embora tenha lutado nas quatro décadas seguintes com os conflitos de sempre entre a obediência e a insurreição. Para uma criança que devorava o *Ladies' Home Journal*, o *Women's Circle* e qualquer outra coisa que me caísse nas mãos, essa nova publicação trazia questões candentes para a minha dieta de leitura e era uma ferramenta poderosa para reconsiderar o *status quo* dentro e fora de casa. O que não tornava mais fácil ser uma menina nos anos 1970, mas facilitava compreender por quê.

Meu feminismo aumentava e diminuía em ondas, mas a falta de liberdade das mulheres para se deslocar pela cidade me atingiu de uma maneira dura e pessoal no final da adolescência, quando passei a receber ataques constantes no meu ambiente urbano e quase ninguém considerava que essa fosse uma questão de direitos civis, ou uma crise ou uma situação revoltante, e não simplesmente uma razão pela qual eu deveria andar de táxi e fazer aulas de artes marciais, ou então levar um homem (ou uma arma) comigo para todo lugar, ou assumir a aparência de um homem, ou mudar para o subúrbio. Não fiz nada disso, mas pensei muito sobre a questão (e o ensaio "A Guerra mais Longa" é minha terceira visita a esse território violento das mulheres no espaço público).

O trabalho feminino, como muitos trabalhos braçais e agrícolas, muitas vezes é invisível e não recebe crédito, esse trabalho que sustenta o mundo e o impede de se desmanchar – trabalho de manutenção, como disse a grande artista feminista Mierle Laderman Ukeles, em seu Manifesto da Arte de Manutenção. A cultura também funciona dessa maneira, e embora eu seja a artista cujo nome saiu em todos os meus livros e ensaios, houve bons editores, forças discretas que tornaram meu trabalho possível e também melhor. Tom Engelhardt, editor que também é meu amigo e colaborador, abriu as portas para a maior parte dos meus escritos nos últimos dez anos, desde que lhe enviei um ensaio não solicitado em 2003. O site TomDispatch tem sido um paraíso para pessoas de mentalidade semelhante, uma pequena organização com alcance poderoso, um lugar onde minha voz não precisa ser anulada nem homogeneizada para poder se encaixar.

É revelador que mais de metade do material deste livro tenha sido escrito para o TomDispatch, a caixinha de correio por onde envio minhas cartas para o mundo (e que o mundo parece receber muito bem, graças à incrível divulgação do site).

Os ensaios deste livro são versões editadas de trabalhos publicados anteriormente. "A Guerra mais Longa" e os outros ensaios publicados pela primeira vez no TomDispatch estavam repletos de *links* para fontes de estatísticas, relatos e citações. Como ficariam muito pesadas como notas de rodapé, essas fontes não são citadas aqui, mas podem ser encontradas nas versões em inglês on-line dos ensaios.

"Os Homens Explicam Tudo para Mim", "A Guerra mais Longa", "Dois Mundos Colidem numa Suíte de Luxo", assim como "A Caixa de Pandora e a Polícia Voluntária" apareceram no TomDispatch. "Elogio à Ameaça" é a única coisa que já publiquei no *Financial Times*. Saiu em 24 de maio de 2013 com o título "Alguns São mais Iguais do que os Outros": http://www.ft.com/intl/cms/s/2/99659a2a-c349-11e2-9bcb-00144 feab7de.html. "Avó Aranha" foi escrito para a centésima edição da *Zyzzva Magazine*, revista literária de São Francisco. E o ensaio sobre Virginia Woolf foi originalmente uma palestra dada em 2009 durante a 19ª Conferência Anual Binacional sobre Virginia Woolf, na Fordham University.

Cronologia dos artigos

Os homens explicam tudo para mim   2008

A guerra mais longa   2013

Dois mundos colidem numa suíte de luxo   2011

Elogio à ameaça   2013

Avó Aranha   2014

A escuridão de Virginia Woolf   2009

A síndrome de Cassandra   2014

#SimTodasAsMulheres   2014

A caixa de Pandora e a polícia voluntária   2014

PRÓXIMOS LANÇAMENTOS

Para receber informações sobre os lançamentos da Editora Cultrix, basta cadastrar-se no site: www.editoracultrix.com.br

Para enviar seus comentários sobre este livro, visite o site www.editoracultrix.com.br ou mande um e-mail para atendimento@editoracultrix.com.br

Impresso por :

gráfica e editora

Tel.:11 2769-9056